El burlador de Sevilla
y convidado de piedra

TIRSO DE MOLINA

El burlador de Sevilla
y convidado de piedra

*Con cuadros cronológicos,
introducción, texto íntegro, bibliografía,
notas y llamadas de atención,
documentos y orientaciones
para el estudio,
a cargo de*

Mercedes Sánchez Sánchez

Copyright © Editorial Castalia, 1997
Zurbano, 39 - 28010 Madrid - Tel. 319 58 57 - Fax 310 24 42

Cubierta de Víctor Sanz

Impreso en España - Printed in Spain

I.S.B.N.: 84-7039-773-7
Depósito legal: M. 29.192-1997

SUMARIO

Para los que siempre estáis conmigo.

Año	Acontecimientos históricos	Vida cultural y artística
1579	Felipe II ordena el arresto domiciliario de Antonio Pérez, acusado por el asesinato de Juan de Escobedo.	Se inaugura el Corral de la Cruz, en Madrid. Nace Luis Vélez de Guevara.
1580	Felipe II es proclamado rey de Portugal tras la muerte de don Sebastián.	Nacen Francisco de Quevedo y Juan Ruiz de Alarcón.
1581	Las Provincias Unidas abjuran de la soberanía de Felipe II. Peste en Andalucía.	Nace Salas Barbadillo. Muere Sánchez Coello.
1587		Alonso de Barros, *La filosofía del cortesano.*
1588	Desastre de la Armada Invencible de Felipe II contra Inglaterra.	
1589	Asesinato de Enrique III, rey de Francia.	
1591	Las tropas reales invaden Aragón en busca del secretario Antonio Pérez. Revueltas en Castilla a causa de los impuestos.	Nace Ribera. Mueren San Juan de la Cruz, fray Luis de León y Mateo Vázquez.
1596	La Hacienda española se declara en bancarrota por cuarta vez.	El Greco, *La coronación de María.* Nace Descartes.
1598	Muere Felipe II. Reinado de Felipe III y valimiento del duque de Lerma. Paz de Vervins entre Francia y España.	Nace Zurbarán. Muere Arias Montano. Cierre general de los teatros.

Vida y obra de Tirso de Molina
El 24 de marzo nace en Madrid Tirso de Molina, seudónimo de Gabriel Téllez. Es bautizado en la parroquia de San Sebastián de Madrid el 29 del mismo mes. Sus padres, de origen humilde, fueron Andrés López —criado del conde de Molina— y Juana Téllez.
Catalina Téllez, hermana mayor de Tirso, ingresa en el convento de la Magdalena de Madrid.
Profesión de su hermana Catalina, que toma el nombre de Catalina de San José, el 21 de agosto.

Año	Acontecimientos históricos	Vida cultural y artística
1600		Nace Calderón de la Barca.
1601	La Corte se traslada, a instancias del duque de Lerma, a Valladolid.	P. Mariana, *Historia general de España.* Nacen Baltasar Gracián y Alonso Cano.
1604	España e Inglaterra firman la paz.	Quevedo, primera versión de *El Buscón.* Nueva edición del *Romancero general.*
1605	Nace el futuro Felipe IV.	Cervantes, primera parte del *Quijote.* López de Úbeda, *La pícara Justina.* Espinosa, *Flores de poetas ilustres.*
1606	Regresa la Corte a Madrid.	Nace Rembrandt.
1608	Es detenido Pedro Franqueza, ministro de Hacienda.	Nace Francisco Manuel de Melo. Muere Pantoja de la Cruz.
1610	Asesinato de Enrique IV de Francia.	Muere Luis Carrillo de Sotomayor.
1611	Muere la reina Margarita de Austria, esposa de Felipe III.	Sebastián de Covarrubias, *Tesoro de la lengua castellana.*
1612		Góngora, *Polifemo.* Salas Barbadillo, *La hija de Celestina.*

Vida y obra de Tirso de Molina
Ingresa en el convento de la Merced de Madrid —que ocupaba el espacio donde actualmente se encuentra la Plaza de Tirso de Molina—. Realiza su año de noviciado en el convento de la Merced de Guadalajara. Siempre se consideró «hijo del convento de Madrid».
Profesa el 21 de enero en el convento de la Merced de Guadalajara, ante el comendador Baltasar Gómez.
Reside en el convento mercedario de Santa Catalina de Toledo; allí coincide con Alonso Remón, presbítero comediógrafo.
Según prueban diferentes documentos notariales, permanece en Guadalajara al menos del 6 de enero al 23 de junio.
Reside de nuevo en Toledo; hay constancia de su producción literaria desde estos años.
Vive en el convento de la Merced de Soria. Firma algunos documentos como «padre» y «vicario» conventual.
Andrés de Claramonte cita a Tirso como «poeta cómico» en su *Letanía moral.* Permanece breve tiempo en el convento de la Merced de Segovia.
Continúa su producción teatral. Probable redacción de *La villana de la Sagra.*
Se traslada de nuevo a Toledo. El «autor» de comedias Juan Acacio paga mil reales de plata a fray Gabriel Téllez por tres comedias: *Cómo han de ser los amigos, Sixto Quinto* y *Saber guardar su hacienda.*

Año	Acontecimientos históricos	Vida cultural y artística
1613		Cervantes, *Novelas ejemplares.*
1614		Lope de Vega, *Rimas sacras.* Muere el Greco.
1615	Doble enlace franco-español: Felipe IV se casa con Isabel de Borbón y su hermano Luis XIII con Ana de Austria, hermana de Felipe IV.	Cervantes, segunda parte del *Quijote, Comedias y entremeses.*
1616		Mueren Cervantes y Shakespeare. Publicación póstuma de *Los trabajos de Persiles y Sigismunda.*
1617		Nace Nicolás Antonio. Lope de Vega, VII, VIII y IX partes de sus *Comedias.*
1618	Caída del duque de Lerma. Le sucede en la privanza su hijo, el duque de Uceda. Comienza la Guerra de los Treinta Años.	Vicente Espinel, *Vida del escudero Marcos de Obregón.*
1619	Primera intervención de España en la Guerra de los Treinta Años. Es detenido don Rodrigo Calderón, valido del duque de Lerma.	Lope de Vega, *Romancero espiritual.* Velázquez, *La adoración de los Reyes Magos.*
1620		Salas Barbadillo, *El perfecto casado.*

Vida y obra de Tirso de Molina
Continúa en Toledo. Se aprueban dos partes de la *Santa Juana*. El 16 de agosto se estrena en Quintanar de la Orden *La ninfa del cielo*. Alrededor de estos años redacta *El burlador de Sevilla y convidado de piedra*.
Termina la tercera parte de la *Santa Juana*. El 24 de junio se representa la segunda parte de la *Santa Juana* en la huerta del duque de Lerma.
En las fiestas del Corpus de Toledo se representa su auto sacramental *Los hermanos parecidos*. En julio estrena, también en Toledo, *Don Gil de las calzas verdes*.
El 10 de abril embarca desde Sanlúcar de Barrameda con destino a Santo Domingo, donde residirá durante dos años.
Ejerce como lector de Teología en Santo Domingo. Es nombrado definidor general de su Orden.
Vuelve a España para acudir al Capítulo General de su Orden. Fallece su padre y es enterrado de limosna por el conde de Molina. Se traslada a Segovia. Probable representación de *El pretendiente al revés*, *El árbol de mejor fruto* y *El mayor desengaño*.
Reside en Segovia. Viaja a Valladolid. Declara como testigo en el proceso de beatificación de fray Alonso Orozco, al igual que Lope de Vega y Quevedo.
Continúa en Segovia, como lector y definidor de su Orden. Fallece su madre en Madrid. Lope de Vega le dedica *Lo fingido verdadero*. Representación de *La villana de Vallecas*. Se traslada a Madrid.

Año	Acontecimientos históricos	Vida cultural y artística
1621	Muere Felipe III. Felipe IV, rey de España. Valimiento del conde-duque de Olivares. Ejecución en la Plaza Mayor de Madrid de don Rodrigo Calderón.	Lope de Vega, XV, XVI y XVII partes de sus *Comedias*.
1622	Creación de la Junta Grande de Reformación.	Asesinato del conde de Villamediana. Nacen Molière y Valdés Leal.
1623	Llega a Madrid el príncipe de Gales. Elección del pontífice Urbano VIII.	
1624	Rendición de Breda. Viaje de Felipe IV a Andalucía; Quevedo forma parte del séquito.	Lope de Vega, *La Circe*. Muere el P. Mariana.
1625		El Consejo de Castilla deniega la licencia de impresión para las comedias y novelas.
1626		Publicación de *El Buscón* de Quevedo.
1627	Se inicia el conflicto de Mantua (Italia).	Quevedo, *Sueños y discursos*. Muere Góngora; publicación de sus obras.
1628	Pérdida de la flota de Nueva España en Matanzas (Cuba) a manos de Holanda.	

Vida y obra de Tirso de Molina
Finaliza los *Cigarrales de Toledo*. Escribe *Privar contra su gusto*. Probable representación de *Tanto es lo de más como lo de menos*.
Acude al Capítulo General de su Orden en Zaragoza. Participa sin éxito en la justa poética convocada en honor de San Isidro y que preside Lope. Matías de los Reyes le dedica *El agravio agradecido*.
Representación en el cuarto de la reina de *La milagrosa elección de Pío V*, *La romera de Santiago* y *Por el sótano y el torno*. Aparece en diversos documentos con el cargo de presentado.
Publica los *Cigarrales de Toledo*, obra miscelánea. Aprueba los *Donaires del Parnaso*, de Solórzano, y *Experiencias de amor y fortuna*, de Francisco Quintana. Probable representación de *El melancólico*.
La Junta de Reformación creada por el conde-duque de Olivares prohíbe a Tirso escribir comedias. Es desterrado de Madrid y se traslada a Sevilla.
Escribe *La huerta de Juan Fernández*. En mayo se encuentra en Guadalajara. Es elegido comendador del convento de Trujillo (Cáceres) por tres años.
Publica en Sevilla la primera parte de sus *Comedias*. Fernando de Vera y Mendoza le incluye en su *Panegýrico por la poesía*.
Continúa en Trujillo. Durante el trienio 1627-1629 Manuel de Sande imprime en Sevilla *El burlador*.

Año	Acontecimientos históricos	Vida cultural y artística
1629		Publicación póstuma de las *Obras* del conde de Villamediana.
1630		Lope de Vega, *El laurel de Apolo.* Comienzan las obras de construcción del palacio del Buen Retiro.
1631	Disturbios en Vizcaya por el estanco de la sal.	Mueren Guillén de Castro y Bartolomé L. de Argensola.
1632		Lope de Vega, *La Dorotea.*
1634	Victoria del cardenal-infante en Nördlingen.	Quevedo, *La cuna y la sepultura.* Publicación póstuma de las *Rimas* de los Argensola. Lope de Vega, *Rimas de Tomé de Burguillos.*
1635	Francia declara la guerra a España y al Imperio.	Calderón, *La vida es sueño.* Muere Lope de Vega. Velázquez, *La rendición de Breda.* Inauguración del palacio del Buen Retiro.
1636		
1637	Motines de Évora (Portugal).	Gracián, *El héroe.* María de Zayas, *Novelas amorosas y ejemplares.*

Vida y obra de Tirso de Molina
Redacta en Trujillo las obras que conforman la *Trilogía de los Pizarro*. Asiste al Capítulo Provincial de Guadalajara. Cesa en su cargo de comendador. Probable estancia en Madrid. Organiza en Salamanca la Justa Poética en honor de San Pedro Nolasco.
Fallece su hermana Catalina en mayo. En julio se encuentra de nuevo en Toledo. Se reeditan los *Cigarrales de Toledo* en Madrid. Aparece el volumen *Doze comedias nuevas*, de Lope de Vega y otros autores, en el que se incluye *El burlador de Sevilla* a su nombre.
Reedición de los *Cigarrales de Toledo* en Barcelona, y en Valencia *Doze comedias nuevas*. Probable viaje a Valencia. Antonio Hurtado de Mendoza le elogia en *Quien más miente, medra más*.
Finaliza *Deleytar aprovechando*. Reside en Madrid y figura ya como cronista general de su Orden. Es nombrado definidor provincial de Castilla. Continúa la *Historia de la Orden de la Merced*, comenzada por su antecesor Alonso Remón.
Publica la tercera parte de sus *Comedias* en Tortosa. Se traduce al inglés su comedia *El castigo del penséque*.
Publica en Madrid la segunda y cuarta partes de sus comedias. Esta última lleva la aprobación de Lope de Vega, quien elogia su ingenio y saber.
Finaliza la tercera parte de la *Historia de la Merced*. Se le concede el grado de maestro en la provincia de Castilla. Publica la quinta parte de sus comedias con aprobación de Calderón. Cesa en su cargo de definidor.
El Papa Urbano VIII confirma a Tirso el grado de maestro.

Año	Acontecimientos históricos	Vida cultural y artística
1638		Muere Vicente Carducho.
1639	La escuadra holandesa destroza la flota española en Las Navas (Canal de la Mancha).	Es detenido Francisco de Quevedo y trasladado al convento de San Marcos de León. Muere Ruiz de Alarcón.
1640	Sublevación de Cataluña y Portugal.	Gracián, *El político.* Muere Rubens.
1643	Las tropas francesas derrotan a los españoles en Rocroi. Caída del conde-duque de Olivares. Comienza la privanza de su sobrino, don Luis de Haro.	Muere Juan de Salinas. Francisco de Quevedo es puesto en libertad.
1645		Muere Francisco de Quevedo.
1646	Muere el heredero de Felipe IV, el príncipe Baltasar Carlos, inmortalizado por Velázquez.	*La vida y hechos de Estebanillo González.*
1648	Paz de Westfalia, mediante la que se reconoce la independencia de Holanda. Fin de la Guerra de los Treinta Años. España y Francia continúan en guerra.	

Vida y obra de Tirso de Molina
Firma *Las Quinas de Portugal.* Aprueba el primer tomo de comedias de Montalbán. Viaja a Madrid en mayo.
Continúa en Madrid. Refunde la segunda parte de la *Historia de la Merced* y finaliza la obra completa.
En septiembre fray Marcos Salmerón prohíbe que los frailes del convento de Madrid escriban contra el gobierno. Al poco tiempo, Tirso es trasladado al convento de Cuenca.
Reside en Toledo, probablemente hasta 1645.
Es nombrado comendador del convento de Soria.
Publica en Valencia *La firmeza en la hermosura* y en Zaragoza aparecen *palabras y plumas* y *Amar por razón de Estado,* en la parte XLI de diferentes autores. Permanece en Soria.
Enferma, quizá de camino hacia Madrid, y se traslada al convento de Almazán, en la provincia de Soria. Allí fallece hacia el 20 de febrero. Debió de recibir sepultura en la iglesia del convento. Los restos de Tirso se encuentran, probablemente, entre sus ruinas.

Introducción

I. La época de Tirso de Molina: Siglo de Oro y Barroco

Se suele llamar Siglo de Oro al periodo literario que se abre en España a comienzos del siglo XVI y que se prolonga hasta mediados del siglo XVII. Durante el reinado de los Reyes Católicos y de los Austrias, en efecto, la literatura peninsular cobra un vigor y alcanza una riqueza extraordinarios, no siempre en consonancia con los hechos históricos —auge y decadencia políticos.

Desde un punto de vista histórico, el Siglo de Oro engloba la etapa del Renacimiento, el largo reinado de Felipe II (muerto en 1598) y los de Felipe III —hasta 1621— y Felipe IV —hasta 1665—. Durante esos años se expande de manera prodigiosa el dominio de la monarquía española en las tierras del Nuevo Mundo, por la anexión de Portugal y todo su imperio (1580), por la soberanía en tierras y virreinatos centroeuropeos e italianos (Sicilia, Nápoles, Milán...) y por el conflictivo mantenimiento de las posesiones en Flandes.

Internamente, la situación política parece un poco más uniforme y serena, aunque nunca se consiguió la total unidad de los reinos (Portugal, Cataluña, Aragón, etc.) que componían aquella poderosa monarquía, cuyos *naturales* padecían miseria y hambre cuando las cosechas eran malas, los impuestos altos o las guerras lejanas se tragaban las ingentes cantidades de oro que se traían de

América. Se trata de una peculiar situación de dominio y sufrimiento, de oro y harapos, que tiene mucho que ver también con la ideología dominante.

En efecto, en una época en la que las ideas religiosas empapaban los modos de conducta de las gentes y de los pueblos, la monarquía española se había erigido en defensora de la religión católica, cuando el catolicismo había comenzado a sufrir la escisión de las reformas protestantes (luteranismo, calvinismo, etc.).

El español de la época gustaba representarse como perteneciente a la nación más poderosa de la tierra, sustentando unas creencias religiosas sin fisuras, que había logrado imponer en sus territorios más veces por la fuerza de las armas que por la palabra evangélica. La hinchazón del triunfo, de las hazañas bélicas en defensa de un estado de cosas sobre el que se había sustentado la formación de la monarquía hispánica —Dios, patria y rey— no podía por menos que postergar a quienes se dedicaban a tareas más sencillas y humildes a un segundo plano social. En términos generales, la sociedad española del Siglo de Oro fue enormemente exclusivista, es decir, dejó fuera —por una u otra razón— de sus fronteras no sólo a los marginados por la enfermedad y el dinero, sino también a los que se dedicaban a oficios menesterosos (*mecánicos*, en la terminología de la época), a transacciones mercantiles, etc.; la exclusión se cebó por razones de raza y religión, particularmente en los descendientes de judíos (los *conversos*).

Todo ello asomará, como es natural, en las formas artísticas —entre ellas las literarias— de la época.

I.1. *Los géneros literarios. El teatro*

La evolución de las corrientes literarias, las transformaciones y apariciones de géneros —novela, poesía, teatro...— producen multitud de obras interesantes, figuras literarias de primer orden, géneros peculiares de indudable atractivo, etc. En el cenit de ese largo Siglo de Oro se halla Cervantes, que escribe y publica a comienzos del siglo XVII, precediendo al intenso periodo que normalmente se denomina Barroco, del que participan poetas como Góngora y Villamediana, dramaturgos como Alarcón y Calderón de la Barca, prosistas como Gracián, polígrafos como Lope de Vega y Quevedo. Es el Barroco, pues, cronológicamente, el final del Siglo de Oro.

A ese periodo pertenece y durante esos años escribe fray Gabriel Téllez, nombre real de Tirso de Molina.

Uno de los géneros literarios triunfantes en esa avalancha artística es el del teatro, en una modalidad nueva, que —por eso mismo— recibió el nombre popular de *comedia nueva*, aunque no se tratara sólo de comedias, sino de teatro en general, con manifestaciones dramáticas muy variadas: teatro corto (entremeses, jácaras, bailes...), teatro religioso (autos sacramentales), teatro cortesano (torneos, máscaras...), representaciones palaciegas, populares, etc.

El género esencial de todas esas modalidades dramáticas era, de todos modos, el de la *comedia nueva*, un tipo de representación extensa (unos tres mil versos: dos horas de representación) que se puede definir tanto por su contenido literario (el texto que los actores representaban y que algún autor había escrito) como por el modo peculiar de su representación, fundamentalmente en un *patio de comedias* al que acudía todo tipo de público para disfrutar del espectáculo.

La comedia triunfa durante el último tercio del siglo XVI y cobra un esplendor clásico durante las primeras décadas del siglo siguiente. El auge del teatro a finales de aquella centuria tiene razones históricas tanto como literarias: el enorme crecimiento de las ciudades, en las que se agolpaba cada vez más gente de clases medias y plebeyas; el desarrollo histórico de todas aquellas manifestaciones que consolidarán la diferencia entre público y privado; la reconversión mercantil de todas las actividades que anteriormente se producían artesanalmente... Es decir, por hablar en términos más concretos: los habitantes de las grandes ciudades aprovechaban el «ocio» que les deparaban sus oficios y menesteres para acudir a lugares públicos, en donde se cobraba una entrada para disfrutar de un espectáculo. Este tipo de cosas, que hoy día nos parecen tan normales, constituyen el armazón histórico sobre el que se comienza a desarrollar un género litera-rio triunfante, el de la *comedia nueva*.

Las manifestaciones teatrales anteriores —algunas de abolengo medieval, otras populares, muchas del espejo cultural grecolatino o italiano— sirvieron para que público y autores fueran educán-dose poco a poco en el gusto por el teatro. Hubo, en efecto, a lo largo del siglo XVI un teatro privado o cortesano, el de las repre-sentaciones cortesanas para nobles, en palacios, etc.; hubo, sin lugar a dudas, manifestaciones dramáticas populares muy varia-das (títeres, circos, cómicos...) que llegaron a alcanzar gran dig-nidad literaria, en casos como Lope de Rueda y sus *pasos*; hubo aprendizaje teatral en colegios y universidades, en donde se leían comedias latinas para practicar la lengua; existía, entre los más cultos, el recuerdo de la tragedia y de la comedia clásica; pero sobre todo la colectividad estaba acostumbrada a la teatralidad de las ceremonias religiosas, que muchas veces —procesiones, autos sacramentales, sermones, etc.— alcanzaron un valor literario exquisito.

Todo ello se recoge en el *gusto* teatral de finales del siglo XVI por un público deseoso de contemplar en el tablado del escena-rio la magia de la representación.

I.2. *Representación y compañías*

También en estos aspectos se producen innovaciones históri-cas. Frente a las rudimentarias representaciones populares de las décadas anteriores, el espectáculo teatral alcanzará un desarrollo técnico singular.

Las viejas representaciones de grupos ambulantes de titiriteros fueron perfeccionándose paulatinamente. En las décadas fina-les del siglo XVI llegaron a la península compañías italianas mu-cho más profesionalizadas: representaban cobrando dinero a la entrada de algún cercado o local; integraban en el plantel de actores a mujeres; las técnicas de representación eran más arries-gadas, entre ellas incluían *tramoyas* muy llamativas; representa-ban incluso en días no feriados... Pronto las compañías españolas imitaron todo ello. El público respondía con tanto entusiasmo a estas representaciones que, hacia 1570, en muchas ciudades (Sevilla, Madrid, Valencia...) se adaptó un espacio cerrado y controlable para que, de modo fijo y no itinerante, se pudieran representar comedias.

Ese lugar fijo fue, en la mayoría de los casos, un patio de manzanas, es decir, un *corral de comedias*, de unos siete por catorce metros, al que se accedía desde la calle, después de traspasar una de las casas. En uno de los lados del corral se levantaba un maderamen —lo que propiamente se llamó *teatro* y nosotros denominamos ahora *escenario*— al que se accedía por una escalera posterior. Ese escenario no tenía telón de boca, ni bastidores, ni proscenio, que son ingredientes fundamentales en el teatro moderno. Su único adorno, si así se puede llamar, era un frontispicio de madera, que ocupaba todo el fondo, que abría tres puertas al escenario y tenía un corredor superior.

Los espectadores pagaban una pequeña cantidad por entrar en el corral y luego, o contemplaban el espectáculo de pie, en el patio (eran los llamados *mosqueteros*), o pagaban otra pequeña cantidad para ocupar alguno de los escasos asientos en un par de gradas laterales o en una fila de taburetes. Pero había unas cuantas localidades de privilegio, muchísimo más caras: las de los *aposentos*, es decir, los balcones y ventanas que daban al patio, que se alquilaban a personalidades, espectadores pudientes, nobles, etc. La localidad mayor de todas, en la fachada frente al escenario y ocupando todo el primer piso, se llamaba *cazuela* y era el lugar reservado para las mujeres, pues en el patio, gradas y cazuela había rigurosa prohibición de mezclar hombres y mujeres, no así en los aposentos, que algunas veces contaron con la presencia del rey.

La comedia se representaba a la luz del día: comenzaba hacia las dos de la tarde en invierno, hacia las cuatro en verano; tenía que haber terminado antes de que se fuera la luz solar. Todos los aspectos de la administración de los corrales, distribución de público, buen gobierno del espectáculo, etc., fueron poco a poco regulándose, sobre todo porque parte de la recaudación iba a parar al sostenimiento de los hospitales públicos, razón por la cual —por cierto— los moralistas no pudieron conseguir su total prohibición. Pero a nosotros sólo nos interesa ver, rápidamente, lo que era la representación teatral.

Como no había luz artificial ni telón de boca, el comienzo del espectáculo se señalaba con pequeñas actividades previas: primero se cantaba un tono o tocaba un guitarrista, luego se recitaba una *loa*, composición breve alabando al público y adelantando las excelencias de la obra... Eran los *teloneros*. Cuando el público ya se había tranquilizado y prestaba atención a lo que iba sucediendo en escena, daba comienzo el primer acto, de los tres que finalmente tenían las obras clásicas. Entre el primer y el segundo acto y entre los dos últimos se acostumbraba a representar un *entremés* u otra piececita corta de carácter jocoso. Después del tercer acto, otra dramatización breve (*mojiganga, fin de fiesta*) llenaba de música y bullicio el final de la representación, que era también el final de la comedia.

La mayor parte de las grandes comedias del Siglo de Oro se representaron en estas circunstancias por compañías profesionalizadas dirigidas por un *autor* (nombre de la época para *director*) reputado. Contaban con una plantilla de unos treinta actores que se repartían, de forma más o menos fija, los papeles de *galán, dama, criado* o *gracioso, criada, barba* (viejos), *dueña*, etc. Otras compañías más pequeñas recorrían pueblos y ciudades buscando el dinero de las ferias.

Con el tiempo el teatro evolucionó hacia formas dramáticas más complejas. Hacia 1620 se pusieron de moda las comedias *de tramoya*, es decir, con espectaculares efectos escénicos (desapariciones, juegos de fuego y agua, balumbas de sonido, etc.), para los que se llegó a contratar a artificieros italianos, por ejemplo a jardineros especializados en máquinas de tramoya que eran capaces de simular la apertura de un monte, el desgarro de una nube, un volcán... Lope de Vega, que había comenzado escribiendo sus obras para corrales sencillos, decía preferir para una buena comedia «dos actores, un tablado y una pasión». No fue suficiente: con el tiempo los efectos escénicos y la derivación del teatro de corrales hacia un teatro cortesano, en palacio, en los reales sitios, desvirtuaron la vieja comedia. Así aparecieron también, en el escenario

español, la ópera y la zarzuela. Para entonces, Tirso de Molina ya
había dejado de escribir.

II. Tirso de Molina

II.1. *Tirso de Molina y las controversias sobre la licitud del teatro*

A pesar del éxito, o precisamente por ello, se puso en entredicho la validez ética y estética de la comedia nueva. El ataque de
preceptistas y moralistas fue muy violento durante los primeros
tiempos, hasta el punto de conseguir que se cerraran los teatros
en 1598. El fallecimiento de Felipe II ese mismo año y la necesidad de mantener los hospitales públicos con la recaudación de
los corrales permitieron que se reanudaran las representaciones pronto; pero la polémica continuó de modo desigual durante
mucho tiempo. Argüían los detractores que las representaciones
eran un verdadero escándalo público: actores de mala vida que
representaban a santos, costumbres depravadas o desviadas ex-
puestas en escena, lujuria desenfrenada cuando se permitía que
hubiera actrices —durante mucho tiempo estuvo prohibido—,
dejación de deberes para acudir a la fiesta teatral...

En un episodio posterior, que es lo que a nosotros ahora nos
interesa, una famosa Junta de Reformación —creada por el conde-
duque de Olivares a comienzos del reinado de Felipe IV— puso
especial empeño en deshacer la relación entre la Iglesia y el teatro
y se prohibieron las representaciones de comedias en monaste-
rios y conventos, así como la entrada a los corrales de los religiosos. Consiguió además, entre otras cosas, que se denegaran
licencias para imprimir comedias y novelas. La prohibición estuvo
en vigor entre 1625 y 1635; las comedias se siguieron representando y también imprimiendo en Castilla, porque se burlaba la
prohibición del Consejo al colocar en la portada de la comedia un
pie de imprenta falso, que señalaba como lugar de impresión alguna
ciudad que no pertenecía a la jurisdicción del Consejo de Castilla.
Esto ocurrió, por ejemplo, con el texto de *El burlador de Sevilla*.

Como Quevedo u otros escritores contemporáneos, Tirso de
Molina fue blanco de las resoluciones tomadas por el nuevo gobierno del conde-duque de Olivares. Fray Gabriel Téllez no era un
escritor más; era también un fraile mercedario que —pese a su origen humilde— llegó a desempeñar cargos de importancia dentro
de su Orden —lector de Teología en Santo Domingo, comendador del convento de Trujillo, definidor y cronista general...—, cargos que le obligaban a participar en las elecciones internas, y que
dieron origen a enemistades y disputas varias. Tirso se indispuso
—ya desde 1622— con el régimen de Olivares, al apoyar en la elección como General de la Orden a su amigo el padre Gaspar Prieto,
elección que no era del agrado del conde-duque. También su
enfrentamiento personal con fray Pedro de Guzmán, pariente de
Olivares, contribuyó, probablemente, a que en 1625 se presentara
en el Consejo de Castilla una denuncia que ponía en evidencia la
incompatibilidad de su condición de «hombre de religión» —también lo eran Lope de Vega y Calderón— con su quehacer dramático. En el dictamen de la Junta se le acusó de escribir comedias
«profanas y de malos incentivos y ejemplos» (*véase documento n.º 8*).

Fray Gabriel Téllez sirvió de ejemplo para el cumplimiento de
las decisiones de la Junta y se vio obligado a marcharse de Madrid
y paralizar —al menos en teoría— su actividad dramática durante
diez años.

II.2. *La preceptiva tirsiana: Tirso de Molina*
ante la comedia nueva

Tirso de Molina pertenece a la generación de los primeros
grandes autores dramáticos: la que imita a un Lope de Vega todavía activo y admirado. Sus obras se representan al mismo tiempo
que las del Fénix —Lope de Vega—, al que todos consideraban
creador de la comedia nueva, y competían en los escenarios de las
grandes ciudades con las de Alarcón, Mira de Amescua, Vélez de
Guevara, Montalbán... A la generación siguiente, en torno a otra
gran figura, Calderón de la Barca, pertenecen autores como
Moreto y Rojas Zorrilla.

La decadencia del teatro es evidente a lo largo de la segunda mitad del siglo XVII, a pesar de la actividad de Calderón; ya se escriben muchas menos obras y se prefiere la refundición de las que habían tenido éxito. Las formas cortesanas y exquisitas del teatro palaciego absorben el interés de los dramaturgos. Tirso se sitúa, pues, entre las dos generaciones de autores dramáticos de nuestro Siglo de Oro, la de Lope de Vega y la de Calderón.

Tirso de Molina fue un discípulo entusiasta de Lope de Vega. Su preceptiva dramática se encuentra dispersa en *Deleitar aprovechando* (1635), en la *Historia General de la Orden de la Merced* (1639) y en *El vergonzoso en palacio,* comedia inserta en los *Cigarrales de Toledo* (1624), obra miscelánea en cuyas páginas se defiende abiertamente la fórmula de Lope (*véase documento n.º 7*).

El amor, la envidia o el honor se manifiestan en los *Cigarrales* en sus posibilidades dramáticas a través de la intriga, la burla, los engaños, los disfraces y el humor. Tirso defiende la mezcla entre lo trágico y lo cómico, la libertad del autor moderno en su creación y en la utilización de la unidad espacio-temporal, en la inclusión de personajes nobles en un teatro popular, todo ello justificado porque, como dice doña Serafina en *El vergonzoso en palacio* (*véase documento n.º 6*), el teatro es una imitación de la vida.

Existe en Tirso una fuerte conciencia estética, expresada tanto en sus obras en prosa como en su producción dramática. La crítica menos objetiva quiso encontrar en la penetración psicológica de los personajes tirsianos, especialmente los femeninos, rasgos que le separarán y situarán por encima de Lope de Vega; son elementos que se encuentran en su teatro, pero ni mucho menos lo identifican ni individualizan. La habilidad de Tirso en la elaboración de acciones coherentes y la construcción de mundos cómicos propios son rasgos típicos de su quehacer dramático, frente al teatro de Lope de Vega, consecuencia lógica de la evolución del género.

Se ha señalado como rasgo característico de la producción dramática de Tirso su sometimiento a un «orden divino», un teatro de la trascendencia que le diferencia del teatro de la inmanencia, el teatro de Lope.

Las piezas cómicas de Tirso de Molina responden a una concepción lúdica del teatro, en el que se muestra la relatividad de las conductas sociales, en palabras de Ruiz Ramón, que atribuye el dinamismo de las comedias de Tirso a su naturaleza «exclusivamente dramática, más allá de toda psicología y de toda verdad histórica, del mundo cómico logrado. Cada pieza es un universo cerrado y suficiente en sí mismo, cuya comicidad funcionará siempre eficazmente, a lo menos mientras existan espectadores capaces de percibir el juego dialéctico de cada individuo con el sistema de la colectividad a la que pertenece».[1]

II.3. *Producción literaria de Tirso de Molina*

La actividad literaria de Tirso de Molina debió de comenzar hacia 1604, acaso por la influencia de fray Alonso Remón, presbítero comediógrafo con quien convivió en el convento de Santa Catalina de Toledo y a quien sucedió como cronista general de la Orden de la Merced. Además de escritor de comedias, Tirso fue autor también de dos obras de carácter misceláneo que contienen novela, poesía y teatro: *Cigarrales de Toledo* y *Deleitar aprovechando*. También se conservan algunos poemas de su pluma en la *Justa poética y alabanzas justas*, publicada por Lope de Vega en 1622, y algún texto poético suelto más.

En la *Tercera Parte* de sus comedias Tirso afirma haber escrito más de cuatrocientas, aunque conservamos sólo alrededor de ochenta. Tradicionalmente se ha seguido la siguiente clasificación:

—*Teatro religioso,* con inspiración en la Biblia: *La venganza de Tamar, La mujer que manda en casa.* La trilogía de la *Santa Juana* es la obra más representativa del drama hagiográfico, en la que se mezclan la fe y la superstición, lo profano y lo religioso. A este ciclo pertenecen también *El condenado por desconfiado,* de dudosa autoría —como *El burlador de Sevilla*—, *La dama del Olivar* y *Santo y sastre.*

—*Comedias y dramas históricos.* En *La prudencia y la mujer,* que tiene como protagonista a doña María de Molina, Tirso plantea

---

[1] Francisco Ruiz Ramón, *Historia del teatro español (desde sus orígenes hasta 1900)*, Madrid, Cátedra, 1992, p. 212.

cuestiones relativas a los conflictos de poder; su finalidad es la exaltación del heroísmo nacional. Consecuencia de la estancia de Tirso en América y en Trujillo es la redacción de las comedias que integran la llamada *Trilogía de los Pizarro*, inserta también en este ciclo.

—*Comedias de enredo palaciegas: Quien calla otorga* y *El vergonzoso en palacio* son las más representativas de este subgénero; en ellas se mezclan, a gran distancia social, la alta nobleza y la plebe, a lo que se añaden ingredientes de tonalidad lúdico-burlesca.

—*Comedias de enredo de capa y espada: Marta la piadosa* y *Don Gil de las calzas verdes*, por ejemplo, son comedias de tipo urbano cuyo tema central son los amores entre personajes pertenecientes a la nobleza media-baja. En el *Don Gil...* doña Juana se lanza a la búsqueda del amante que la ha abandonado. Para ello hará uso de disfraces y enredos.

—*Comedias de enredo villanescas:* A través del enredo y el humor en las clases sociales más bajas, Tirso plantea temas relacionados con la injusticia y las corrupciones del poder, como en *Mari Hernández la Gallega*.

Tirso fue también el autor de una comedia mitológica, *El Aquiles*, y de autos sacramentales: *El colmenero divino* y *Los hermanos parecidos*.

III. "El burlador de Sevilla y convidado de piedra"

III.1. *El texto: fecha y autoría*

En nuestro Siglo de Oro, una comedia se escribía para ser representada primero y después —no siempre— se imprimía. En síntesis, el proceso era el siguiente: el escritor vendía su obra manuscrita al director de la compañía y, tras su explotación en los teatros, solía publicarla en las *Partes* de sus comedias, colecciones formadas generalmente por doce composiciones dramáticas. Otras veces un librero procedía a la impresión sin autorización del autor; si éste no intervino en la publicación, es probable que el texto se encuentre alterado por el director de la compañía o por los actores. Si el autor no gozaba de mucha fama, el impresor se la atribuía a otro que sí la tuviera.

El texto de la historia de don Juan presenta problemas relacionados con esto; sin detenernos en detalles, señalaremos que lo
que se considera como la primera edición de *El burlador de Sevilla
y convidado de piedra (B)* atribuye su autoría a Tirso de Molina.
Actualmente se encuentra en la Biblioteca Nacional de Madrid,
dentro del volumen *Doce comedias de Lope de Vega Carpio y otros
autores*, segunda parte, impreso en Barcelona, por Gerónimo Margarit, en 1630. La impresión presenta errores tipográficos, incorrecciones en la rima y omisión de versos, datos que pueden ser
justificados por una redacción posterior y descuidada o bien por
descuidos del impresor

Existe otro texto que, sin indicar fecha ni lugar de impresión,
lleva el título *Tan largo me lo fiáis (TL)*, y se atribuye, sin funda-
mento, a Calderón. El texto es básicamente el mismo que *B*, con
algunas alteraciones que, en ocasiones, le completan. A partir del
conocimiento de ambos textos, la crítica se cuestiona la prioridad
de uno sobre otro, así como su correcta atribución. Las investiga-
ciones llevadas a cabo sobre el texto de *B* revelaron que éste había
sido publicado en Sevilla, hacia 1627-1629. De este volumen se
desglosó *El burlador*, y pasó a formar parte del compuesto en 1630
por Simón Faxardo en Sevilla; Faxardo le colocó una portada y
pie de imprenta falsos: ni Gerónimo Margarit era el impresor ni
Barcelona el lugar de impresión.

Simón Faxardo es también el responsable de la impresión en
Sevilla, hacia 1634-1635, del texto de *TL*. Las incorrecciones y la
falta de datos en uno y otro texto se explican por la prohibición
de imprimir comedias en Castilla durante esos años, como ya se
ha señalado más arriba.

En cuanto a la autoría, tampoco la crítica se pone de acuerdo.
Alfredo Rodríguez López-Vázquez señala a Andrés de Claramonte,
autor de comedias que vivió en Sevilla, como autor de los textos de
B y *TL*. Por otro lado, es cierto que Tirso de Molina no incluyó *El
burlador de Sevilla* en ninguna de las *Partes* de sus comedias; realmente la atribución al mercedario se basa en el texto de *B* y en las
impresiones abreviadas posteriores, pero el carácter religioso de
Tirso de Molina y sus problemas con la Junta de Reformación seguramente así lo condicionaron. Parece que Andrés de

Claramonte estuvo, de alguna manera, involucrado en la tradición textual de *El burlador*, pero no puede prohijársele una obra del carácter de *El burlador* y arrebatársela a quien es autor de otras grandes comedias en las que coincide con el estilo, la lengua o el discurso.

Luis Vázquez estudia el estilo, el lenguaje, los personajes y la métrica de *B* y reafirma su prioridad sobre *TL* así como la autoría de Tirso de Molina; argumenta que el mercedario tampoco negó en ningún momento haberla redactado, y debió de conocer su impresión, ya que estaba relacionado con impresores sevillanos.

José M.ª Ruano, tras un meticuloso cotejo entre ambas versiones, ofrece una sugerente hipótesis: la posibilidad de que el actor que representó el papel de Catalinón en la compañía que estrenó la obra pasase a formar parte de otra, llevándose consigo una copia manuscrita de su papel y quizás del de Aminta, y en su memoria el resto de la obra. Junto con el autor de la otra compañía, reconstruiría una versión de la obra. Del texto original desciende *B*, y *TL* no es una refundición, sino una reconstrucción de memoria. La mayor parte de la crítica sostiene que *B* es anterior a *TL* y que los dos textos son versiones de un arquetipo común; la autoría sigue perteneciendo a Tirso, mientras no existan datos y documentos concluyentes que demuestren lo contrario.

Con respecto a la fecha de composición, tampoco hay datos exactos. No se conservan documentos sobre la representación de la obra, y sólo algunos indicios llevan a Luis Vázquez a afirmar que Tirso la compuso hacia 1613, antes de su viaje a Santo Domingo. También el final de la obra apunta a una redacción anterior a 1617: los restos del Comendador se llevan a San Francisco el Grande, probablemente porque Tirso sabía que en esa iglesia madrileña estaban enterrados importantes miembros de la Orden de Calatrava. En 1617 se hicieron obras de reforma en dicha iglesia y se destruyeron sepulcros, por lo que carecería de sentido, según señala Vázquez, el traslado de los restos del Comendador allí. La mayor parte de la crítica coincide al establecer una fecha de redacción posterior a 1612 y anterior a 1625; con toda probabilidad, la redacción original es de comienzos de la década de 1620.

Parece, en definitiva, que no podemos afirmar con total seguridad cuál es el texto original de *El burlador*, ni cuándo se redactó, ni siquiera quién escribió la comedia desde la que salió don Juan para formar parte de los mitos universales.

III.2. *La creación de un mito universal: don Juan*

Las comedias de nuestro Siglo de Oro eran un producto de consumo rápido. Los autores no las escribían con vistas a la posteridad, sino que lo único que buscaban era agradar, tanto artística como ideológicamente, al público que acudía a los corrales. El público era, para el poeta, su verdadero mecenas. Por ello, el autor buscaba materias conocidas por todos o daba forma a tipos que el público podía reconocer.

El personaje de don Juan no tiene raíces clásicas ni cultas, sino populares; Tirso retrataría a algún personaje reconocible en la Sevilla del XVII, porque es probable que la obra fuera concebida para ser representada en algún corral de Sevilla, uno de los centros de la vida teatral española con la que Tirso estuvo relacionado.[2] En esa ciudad se imprimió en 1627 la primera *Parte* de sus comedias.

Las fuentes de don Juan parecen encontrarse en el folclore europeo. Por la península circulaban romances que se acercaban bastante al tema del joven de vida libertina y a su contacto con el más allá (*véase documento n.º 1*). La crítica ha intentado encontrar un personaje real que hubiera servido a Tirso como inspiración. Lo cierto es que existen multitud de tipos como don Juan, no sólo en el mundo real, sino también en la literatura anterior y contemporánea a Tirso. Probablemente Tirso maneja una materia legendaria y la modela sobre personas verdaderas, tal y como defendía en los *Cigarrales de Toledo*. Los Tenorio vivieron, en efecto, en la Sevilla medieval. Don Juan Tenorio fue contemporáneo

---

[2] Francisco Márquez Villanueva, *Orígenes y elaboración de «El burlador de Sevilla»*, Salamanca, Ediciones Universidad de Salamanca, 1996, p. 79.

de Alfonso XI y su familia perteneció al círculo de la privanza del rey (don Juan era halconero real), pero cayeron en desgracia hacia 1355, año en el que el monarca le acusa de traidor. Algo debió suceder entre el rey y los Tenorio, y probablemente se formarían leyendas en torno a lo ocurrido, que serían del dominio público. También los Ulloa vivieron en Sevilla en la Edad Media, e incluso el marqués de la Mota, don Luis de Ulloa y Ulloa, segundo en ostentar el título creado en 1575, era *primo* de doña Ana, pero eso sí, si seguimos una cronología disparatada.[3] Lo que Tirso pretende es agradar al público y no ser coherente con el tiempo histórico ni dar muestras de erudicción. La existencia de don Juanes literarios anteriores a Tirso, tanto en España como fuera de nuestras fronteras, puede apoyar la teoría de la existencia de una base temática legendaria común.

Don Juan responde a un tipo de traidor, de burlador palaciego que aparece desde el comienzo en nuestro teatro áureo; en *El Infamador*, de Juan de la Cueva (representada en Sevilla en 1581), aparece Lucino, personaje de vida disoluta que es objeto de castigo ejemplar. En *La fuerza lastimosa*, de Lope de Vega, un tal duque Octavio se hace pasar por un conde para gozar los favores de cierta dama. Por otro lado, la frase «¡qué largo me lo fiáis!» se documenta textualmente en obras anteriores a la de Tirso, y se encuentra recogida por Correas como parte de algunos refranes. Todo ello aporta a la obra un carácter popular que fácilmente reconocería el público y que aplaudiría inmediatamente.

Don Juan tiene un compromiso personal con la burla; es *el burlador de Sevilla*, y no un seductor de mujeres, porque realmente no seduce a ninguna en la obra (dos creen estar en brazos de otro hombre y las otras dos se dejan deslumbrar por la alta condición social del caballero). No es tampoco un libertino sexual, sino un burlador profesional. El don Juan de Tirso merece ser castigado según la ideología del siglo XVII. No tiene la categoría de héroe —Tirso pretendió mostrar más bien un antihéroe— por más que se empeñe en parecerlo. Es un joven temerario que no escucha

---

[3] Francisco Márquez Villanueva, *op. cit.*, pp. 88-95.

las advertencias de los otros personajes, ni siquiera teme la cena macabra con don Gonzalo porque confunde el valor con la temeridad. No quiere entender, no cree en el futuro, sólo en el aquí y en el ahora, y será castigado porque así lo exige la ideología del siglo XVII. Su supuesta rebeldía no es tal, no tiene mérito porque pertenece a una clase social alta que le permite llevar a cabo sus hazañas y se sabe a salvo de cualquier castigo, porque es hijo del privado del rey. Hasta el propio rey de Castilla, un rey ridículo y casamentero, no sólo no castiga sus acciones, sino que le nombra conde. La crítica social en la obra de Tirso es evidente, como también lo es que su don Juan sólo pueda existir en su época. Don Juan responde a un personaje arquetípico presente en todas las culturas; no en vano se contabilizan unas 500 «reencarnaciones» de don Juan y 253 versiones orales sobre la visita del muerto. Tirso se encontró con el personaje bosquejado y en *El burlador* lo dota de una vida que será universal. El mérito de Tirso consiste en haber dado forma literaria a un carácter, a un tipo que se re-elaborará de muy diferentes formas y que camina por España y por Europa adquiriendo en cada época y lugar nuevos rasgos.

El don Juan de Tirso es un personaje dinámico. No existe para él ni el futuro ni el pasado, sólo el presente, en el que estructura su actuación en cada una de sus aventuras: primero, el engaño, después la consecución de lo deseado —tanto la mujer seducida como la traición al amigo— y por último la huida. Estas características definen el mito de don Juan como la fijación de un tipo existente en todas las culturas «civilizadas». Mientras existan normas políticas, éticas, religiosas o sociales y seres humanos que —como don Juan— sean capaces de construir su propia estima y valía sobre los restos de la destrucción de estas reglas de convivencia, existirá don Juan, evolucionado o adaptado, porque también existen seres humanos —como el marqués de la Mota— que admiran a don Juan, al personaje que es capaz de realizar las hazañas a que ellos no se atreven.

De *El burlador de Sevilla* salió don Juan, que pasó, como don Quijote o la Celestina, a formar parte de las grandes figuras de nuestra literatura. Don Juan, además, evolucionó y se adaptó a otros países y a otras culturas. El tema de don Juan ha dado origen a multitud de interpretaciones y variaciones, pero es en el drama de Tirso desde donde emerge para convertirse en un mito universal, aún vigente, quizás porque en su personalidad esconde elementos que de una u otra forma se encuentran en los individuos de cualquier sociedad y de cualquier época.

A finales del siglo XVII Alonso de Córdoba redacta *La venganza en el sepulcro*; don Juan es un fanfarrón, pero se enamora de doña Ana y quiere casarse con ella. En 1714 Antonio de Zamora escribió *No hay plazo que no se cumpla ni deuda que no se pague*; don Juan es ya un conquistador de mujeres, y su condena final no es tan explícita. Es ya en el siglo XIX cuando don Juan aparece como el conquistador libertino con la obra de José Zorrilla *Don Juan Tenorio*; es capaz de enamorarse y el desenlace es totalmente diferente: doña Inés le salva con su amor. A finales del siglo XIX el personaje comienza a ser parodiado. Valle-Inclán lo degrada en *Las galas del difunto* y Sender lo imagina en el cielo, preguntando a San Pedro por doña Inés en *Don Juan en la mancebía*; también Unamuno, los hermanos Machado, Benavente, Villaespesa, o Jardiel Poncela dan su propia versión del tema.

Los donjuanes teatrales más cercanos a nosotros son *Don Juan último*, de Vicente Molina Foix (estrenada en 1992), que se centra en la presencia de la madre de don Juan, y *La sombra del Tenorio*, publicada en 1995, de José Luis Alonso de Santos, en la que un viejo actor, condenado a representar siempre el papel de criado de don Juan, se rebela contra él. En el campo de la narrativa merece ser destacado el *Don Juan* de Torrente Ballester.

También don Juan corrió por Italia, Francia, Inglaterra y Alemania. Molière crea un don Juan más «humano», capaz de arrepentirse. Alejandro Dumas, padre, Alfred de Musset, Mérimée o Baudelaire hicieron de don Juan el protagonista de sus obras. Y Mozart, con libreto de Da Ponte, compuso la genial ópera *Don Giovanni*, estrenada en Praga en 1787. Cada país, cada época ha construido sus donjuanes. Ha llegado hasta el cine; recordemos las películas más cercanas, *Don Juan en los infiernos*, de Gonzalo Suárez, y, más recientemente, la norteamericana *Don Juan de Marco*.

En fin, don Juan es un mito intemporal que nació a la literatura con Tirso de Molina, quien lo dotó de unos caracteres propios y potenciales y de una serie de valores que siguen fascinando e interesando y que, como el ser humano, han evolucionado a través de los años, ideologías, países y épocas.

Bibliografía

Arellano, I.; Oteiza, B.; Pinillos, M. C. y Zugasti, M. (eds.): *Tirso de Molina: del Siglo de Oro al siglo XX*, Madrid, *Revista Estudios*, 1995. Reúne las Actas del Congreso sobre Tirso de Molina celebrado en diciembre de 1994. El artículo de José M.ª Ruano sobre la relación textual entre *El burlador de Sevilla* y *Tan largo me lo fiáis* es especialmente interesante, así como los dedicados a la recepción de la obra y a la fortuna del tema de don Juan en el teatro español del siglo XX.

Arellano, I.: *Historia del teatro español del siglo XVII*, Madrid, Cátedra, 1995. (Crítica y estudios literarios). Es la más reciente historia del teatro de nuestro Siglo de Oro. Ofrece una visión de conjunto y el análisis detallado de los grandes hitos de nuestro teatro.

Casalduero, Joaquín: *Estudios sobre el teatro español*, Madrid, Gredos, 1962. En las pp. 114-130 Casalduero presenta una interpretación sobre la ambigüedad del final de *El burlador*.

——: *Contribución al estudio del tema de don Juan en el teatro español*, Madrid, Porrúa Turanzas, 1975. Importante análisis de la evolución del tema de don Juan a través del teatro español. El capítulo III, centrado en los siglos XVII y XVIII, interesa en particular.

Florit Durán, Francisco: *Tirso de Molina ante la Comedia Nueva. Aproximación a una poética*, Madrid, *Revista Estudios*, n.° 155, 1986. El autor analiza diferentes obras de Tirso de Molina —tanto en prosa como dramáticas— para extraer de ellas la actitud del mercedario ante las distintas cuestiones suscitadas tras el triunfo de la *comedia nueva*.

Márquez Villanueva, Francisco: *Orígenes y elaboración de «El burlador de Sevilla»*, Salamanca, Ediciones Universidad de Salamanca, 1996. (Acta Salmanticensia. Estudios filológicos; 264.) En su sugestivo trabajo, Márquez Villanueva estudia la composición de don Juan como ser literario desde una perspectiva histórica y literaria y reivindica su origen español y sevillano. Defiende la autoridad de Tirso sobre *El burlador* e indaga en el origen sevillano de su leyenda.

Navas Ocaña, Maribel: «Hacia una reconstrucción espectacular de *El burlador de Sevilla y convidado de piedra*, de Tirso de Molina», *En torno al teatro del Siglo de Oro*, Instituto de Estudios Almerienses, 1991, pp. 89-103. A través de las acotaciones del texto, la autora traza una interesante hipótesis sobre la puesta en escena de *El burlador*.

Ruiz Ramón, Francisco: *Historia del Teatro Español (desde sus orígenes hasta 1900)*, Madrid, Cátedra, 1992, 8.ª ed. (Crítica y estudios literarios.). El capítulo III es uno de los mejores estudios sobre nuestro teatro nacional. Las páginas dedicadas a Tirso de Molina son muy valiosas.

——: «Don Juan y la sociedad del burlador de Sevilla: La crítica social», *Estudios de teatro español clásico y contemporáneo*, Madrid, Cátedra-Fundación Juan March, 1978, pp. 71-98. Importante contribución al estudio de la crítica social de *El burlador* a través del análisis particular de los personajes y de la estructura dramática de la obra.

Said Armesto, Víctor: *La leyenda de don Juan (orígenes poéticos de* El burlador de Sevilla y convidado de piedra*)*, Madrid, Librería de los sucesores de Hernando, 1908. Sugerente trabajo en el que su autor se propone demostrar el origen español de la leyenda de don Juan en contra de las tesis defendidas por el filólogo Arturo Farinelli.

Deben tenerse en cuenta también los estudios contenidos en las ediciones de Américo Castro, Xavier A. Fernández, Ignacio Arellano, Alfredo Rodríguez López-Vázquez, Antonio Prieto y Luis Vázquez, así como los diferentes trabajos sobre Tirso de Molina publicados en la *Revista Estudios*.

Fray Gabriel Téllez, «Tirso de Molina», grabado de Bartolomé Maura sobre la copia de un retrato de Tirso, mandada hacer por el P. General Hartalejo, siglo XVIII. (Biblioteca Nacional de Madrid.)

Fray Gabriel Téllez, grabado de Letre.

EL BVRLADOR DE SEVILLA,
y combidado de piedra.

COMEDIA
FAMOSA,
DEL MAESTRO TIRSO DE MOLINA.

Representòla Roque de Figueroa.

Hablan en ella las personas siguientes.

Don Diego Tenorio viejo.	*Fabio criado.*
Don Iuan Tenorio hijo.	*Isabela Duquesa.*
Catalinon lacayo.	*Tisbea pescadora.*
El Rey de Napoles.	*Belisa villana.*
El Duque Octauio.	*Anfriso pescador.*
Don Pedro Tenorio.	*Coridon pescador.*
El Marques de la Mota.	*Gaseno labrador.*
Don Gonçalo de Ulloa.	*Patricio labrador.*
El Rey de Castilla.	*Ripio criado.*

IORNADA PRIMERA.

Salen don Iuan Tenorio, y Isabela
Duquesa.
Isab. Duque Octauio, por aqui
podràs salir mas seguro.

d.Iu. Duquesa, de nueuo os iuro
de cumplir el dulce sì.
Isa. Mis glorias, seràn verdades
promesas, y ofrecimientos,
K   segalos

Portada de
El burlador de Sevilla.

DOZE
COMEDIAS
NVEVAS DEL
.MAESTRO TIRSO DE
Molina.

A D. Alonso de Paz, Regidor de la ciudad
de Salamanca.

PRIMERA PARTE.

CON PRIVILEGIO.

En Sevilla por Francisco de Lyra, a costa de Manuel de San
de mercader de libros Vendese, en su casa
Año 1627.

Portada de *Doze Comedias,*
Sevilla, 1627.

Ilustración superior: primera firma, en documento oficial, de Fray Gabriel Téllez (18 de noviembre de 1603); ilustración inferior: firma que apareció reproducida en la edición de su *Historia General de la Orden de Nuestra Señora de las Mercedes,* publicada en Madrid en 1973.

Caballero español y Dama española
(grabados del siglo XVII).

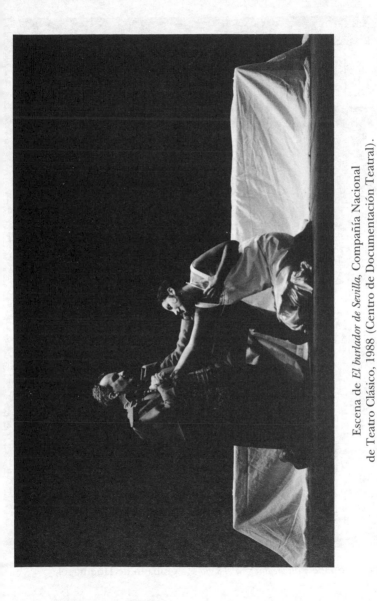

Escena de *El burlador de Sevilla*, Compañía Nacional
de Teatro Clásico, 1988 (Centro de Documentación Teatral).

Sevilla y alrededores en el siglo XVI, grabado de Hoefnagel.

Nota previa

La discusión acerca de la prioridad del texto de *El burlador de Sevilla* *(B)* frente al de *Tan largo me lo fiáis (TL)* no ha llegado a ninguna conclusión definitiva, y lo mismo ocurre con el problema de la autoría. La mayor parte de la crítica especializada considera que ambos textos son versiones de un arquetipo común y señala la prioridad de *B* sobre *TL*, así como la autoridad de Tirso de Molina.

Como la mayoría de los editores modernos, sigo, en la medida de lo posible, el texto de la edición príncipe que, con el título *El burlador de Sevilla y convidado de piedra*, atribuye la autoría a Tirso de Molina. Se encuentra encuadernado en el volumen *Doce comedias nuevas de Lope de Vega Carpio y otros autores*. Se conserva en la Biblioteca Nacional de Madrid, signatura R/23136. El texto de *B* ha sido enmendado con versos y pasajes de *TL* cuando se ha considerado imprescindible para la comprensión de algún pasaje o para el ajuste de la rima o el sentido. El texto de *Tan largo...* se encuentra actualmente en la Biblioteca i Museu de l'Institut del Teatre, de la Diputación Provincial de Barcelona. Existe reproducción facsímil de ambos textos a cargo de Xavier A. Fernández en la *Revista Estudios,* Madrid, 1988.

La omisión de versos en la edición príncipe se ha marcado en la nuestra con una línea de puntos. Cualquier corrección o adición al texto de *B*, proceda de nuestra mano, de la edición de *TL* o de otros editores, se ha señalado entre corchetes, así como *apartes* y otras acotaciones que se han considerado necesarias.

La ortografía y puntuación se han corregido de acuerdo con criterios modernos, así como grafías sin relevancia fonética. Se han mantenido otros aspectos lingüísticos propios de la época que se explican en la notas a pie de página.

Con respecto a la anotación y otros aspectos, la presente edición es deudora de las de Ignacio Arellano, Américo Castro, Alfredo Rodríguez López-Vázquez y Luis Vázquez. Hemos manejado también las de Antonio Prieto, Blanca de los Ríos, Wade y Hesse, Guenoun, Xavier A. Fernández y Joaquín Casalduero. Sus trabajos han servido de eficaz ayuda.

EL BURLADOR DE SEVILLA
Y
CONVIDADO DE PIEDRA

COMEDIA FAMOSA DEL MAESTRO TIRSO DE MOLINA
REPRESENTÓLA ROQUE DE FIGUEROA[1]

---

[1] Roque de Figueroa fue un famosísimo actor y autor de comedias cuyas representaciones se documentan desde 1623. Su dicción y puesta en escena resultaban tan excelentes que incluso algunos predicadores acudían a sus representaciones para aprender. Véase el documento n.° 10.

Hablan en ella las personas siguientes:[2]

DON DIEGO TENORIO, *viejo*	FABIO, *criado*
DON JUAN TENORIO, *su hijo*	ISABELA, *duquesa*
CATALINÓN, *lacayo*	TISBEA, *pescadora*
EL REY DE NÁPOLES	BELISA, *villana*
EL DUQUE OCTAVIO	ANFRISO, *pescador*
DON PEDRO TENORIO	CORIDÓN, *pescador*
EL MARQUÉS DE LA MOTA	GASENO, *labrador*
DON GONZALO DE ULLOA	BATRICIO, *labrador*
EL REY DE CASTILLA	RIPIO, *criado*

---

[2] A esta lista de personajes habría que añadir a Aminta, labradora, doña Ana de Ulloa, cantores, criados, guardas, enlutados, músicos, pastores y pescadores.

JORNADA PRIMERA[(1)]

(*Salen* DON JUAN TENORIO y ISABELA, *duquesa.*)

ISABELA.	Duque Octavio, por aquí
	podrás salir más seguro.
DON JUAN.	Duquesa, de nuevo os juro
	de cumplir el dulce sí.[3]
ISABELA.	¿Mis glorias serán verdades, 5
	promesas y ofrecimientos,

---

[3] *cumplir el dulce sí:* llevar a cabo la promesa de matrimonio que, suponemos, ha hecho el duque Octavio —en realidad, don Juan— a Isabela para que ésta accediera a sus deseos.

(1) Los autores dramáticos del XVII convierten en normativa una tendencia que venía desarrollándose desde finales de siglo anterior y que Lope precisó en su *Arte nuevo...:* la división de la obra teatral en tres únicos actos o jornadas. Esta decisión se adopta en función del mantenimiento de la intriga. La acción al final de cada jornada queda suspensa, sometida también a la misma función, y suele marcar el paso del tiempo. El autor no señala las escenas, sino que éstas se encuentran delimitadas por la entrada o salida del escenario de los personajes. La primera Jornada comienza bruscamente, de modo que el espectador se encuentra, de golpe, inmerso en la acción, de acuerdo con el propio dinamismo que requiere la obra. A través de las primeras escenas, el lector y el espectador conocen, por las acotaciones implícitas en los diálogos, que la acción transcurre al amanecer en el palacio del rey de Nápoles.

	regalos y cumplimientos,	
	voluntades y amistades?	
DON JUAN.	Sí, mi bien.	
ISABELA.	Quiero sacar	
	una luz.	
DON JUAN.	Pues, ¿para qué?	10
ISABELA.	Para que el alma dé fe[4]	
	del bien que llego[5] a gozar.	
DON JUAN.	Mataréte la luz yo.[6]	
ISABELA.	¡Ah, cielo! ¿Quién eres, hombre?	
DON JUAN.	¿Quién soy? Un hombre sin nombre.[7]	15
ISABELA.	¿Que no eres el duque?	
DON JUAN.	No.	
ISABELA.	¡Ah de palacio!	
DON JUAN.	Detente;	
	dame, duquesa, la mano.[8]	
ISABELA.	No me detengas, villano.	
	¡Ah, del rey! ¡Soldados, gente!	20

(*Sale el* REY DE NÁPOLES *con una vela en un candelero.*)

REY.	¿Qué es esto?
ISABELA.	¡El rey! ¡Ay, triste!
REY.	¿Quién eres?
DON JUAN.	¿Quién ha de ser?
	Un hombre y una mujer.
REY.	Esto en prudencia consiste.[9]

---

   [4] *dé fe:* confirme, certifique.   [5] *llego:* alcanzo. Isabela quiere ver con sus propios ojos al causante de su gozo, que además mantiene su promesa de matrimonio. La contemplación del ser amado tras el goce carnal era un lugar común en la época.   [6] *mataréte la luz yo:* don Juan pretende, bruscamente, apagar la luz para no ser descubierto por Isabela. En el Siglo de Oro era regla sintáctica que al principio de frase o detrás de pausa los pronombres inacentuados debían ir tras el verbo; así, «mataréte».   [7] *Un hombre sin nombre:* don Juan se niega a manifestar su identidad, de modo que Isabela quedará burlada sin siquiera saber por quién.   [8] *dame, duquesa, la mano:* Guenoun señala que esta frase la repite don Juan en cada una de sus burlas amorosas, circunstancia que las conecta entre sí y con el final de la obra.   [9] *Esto en prudencia consiste:* actuemos con discreción y prudencia.

¡Ah, de mi guarda! Prendé[10]   25
a este hombre.

ISABELA.   ¡Ay, perdido honor![(2)]

(*Vase* ISABELA. *Sale* DON PEDRO TENORIO, *embajador de España,
y guarda.*)

[DON PEDRO.]   ¡En tu cuarto,[11] gran señor,
voces! ¿Quién la causa fue?

REY.   Don Pedro Tenorio, a vos
esta prisión os encargo.   30
Siendo corto, andad vos largo:[12]
mirad quién son estos dos.

---

[10] *prendé:* prended. Los imperativos plurales podían perder la -*d* final y más si convenía por razones métricas o de rima. En realidad es la misma pérdida que se produce en las formas agudas nominales acabadas en -*d: verdá, Madrí...*   [11] *cuarto:* las habitaciones que forman los aposentos del rey.   [12] *Siendo corto, andad vos largo:* El rey pide a su embajador que se ocupe de detener al causante del alboroto, pero, eso sí, en el menor tiempo posible y con discreción. Como el escándalo ha sucedido en sus propios aposentos, el rey sospecha que sus protagonistas han de ser gente de su servicio, nobles o de calidad, y quiere ser discreto, por lo que encarga a su embajador el esclarecimiento de unos hechos que él no quiere descubrir, porque se vería obligado a aplicar un fuerte castigo.

---

(2) La obra comienza con una acción recién terminada a la que el espectador no ha asistido —el encuentro carnal— y otro suceso que está ocurriendo en esos instantes, la despedida de los amantes. El diálogo inicial sugiere también una acción anterior, la promesa de matrimonio. Isabela se pregunta si, una vez aceptados los requerimientos de su galán, cumplirá éste todas sus promesas. Tras la confirmación de su amante, la felicidad de Isabela se convierte en desgracia, al descubrir que su amante no es quien ella creía, el duque Octavio, y pide auxilio al rey. De ese modo convierte su deshonra en doble por considerarse una afrenta contra el propio monarca cualquier lance ocurrido en palacio, y así lo entiende en cuanto el rey aparece en escena. Por otro lado, comienza a perfilarse el personaje de don Juan ante los ojos del espectador, quien en pocos minutos ha asistido al engaño de una mujer y a las respuestas irrespetuosas e insolentes del burlador al propio monarca. En el teatro áureo los personajes se definen dramáticamente no sólo por sus propias palabras, sino también por su relación con los otros.

Y con secreto ha de ser,
                    que algún mal suceso creo,
                    porque si yo aquí lo veo   35
                    no me queda más que ver. (*Vase.*)
DON PEDRO.   ¡Prendelde!¹³
DON JUAN.   ¿Quién ha de osar?
                    Bien puedo perder la vida,
                    mas ha de ir tan bien vendida,
                    que a alguno le ha de pesar.   40
DON PEDRO.   ¡Matalde!
DON JUAN.   ¿Quién os engaña?
                    Resuelto en morir estoy,
                    porque caballero soy
                    del embajador de España.
                    Llegue; que solo ha de ser   45
                    quien me rinda.¹⁴
DON PEDRO.   Apartad;
                    a ese cuarto os retirad
                    todos con esa mujer.
                    Ya estamos solos los dos;
                    muestra aquí tu esfuerzo y brío.   50
DON JUAN.   Aunque tengo esfuerzo, tío,
                    no le¹⁵ tengo para vos.⁽³⁾

---

¹³ *prendelde:* prendedle. Es frecuente en la época la metátesis (*-ld-/-dl-*), como se observa más adelante (*matalde/ matadle*) y a lo largo de toda la comedia.   ¹⁴ *solo ha de ser / quien me rinda:* don Juan se define como «caballero del embajador de España» y quiere quedarse a solas con su tío para ampararse en los lazos que les unen. Don Juan aparece quizás escondido bajo una capa, porque nadie le ha reconocido.   ¹⁵ *le:* el uso de «le» por «lo» es frecuente en la lengua de Tirso, que era leísta.

(3) La acción se traslada a alguna sala apartada de palacio. Tirso utiliza el personaje de don Pedro para introducirnos en el conocimiento de la personalidad de don Juan. Así, tras apelar a los lazos de sangre que le unen al embajador —se trata de su tío—, éste le increpa sobre su identidad, en un juego teatral dispuesto para captar la atención del espectador, que estará más atento cuanto más directa y concreta sea la conversación. Don Pedro procede, tras el rápido diálogo salpicado de lamentaciones, a

DON PEDRO.   ¡Di quién eres!
DON JUAN.   Ya lo digo:
tu sobrino.
DON PEDRO.   (¡Ay, corazón,
que temo alguna traición!)   55
¿Qué es lo que has hecho, enemigo?
¿Cómo estás de aquesa[16] suerte?
Dime presto lo que ha sido.
¡Desobediente, atrevido!
Estoy por darte la muerte.   60
Acaba.
DON JUAN.   Tío y señor,
mozo soy y mozo fuiste;
y pues que de amor supiste
tenga disculpa mi amor.
Y pues a decir me obligas   65
la verdad, oye y diréla:
yo engañé y gocé[17] a Isabela,
la duquesa...
DON PEDRO.   No prosigas;
tente. ¿Cómo la engañaste?
Habla quedo y cierra el labio.[18]   70
DON JUAN.   Fingí ser el duque Octavio.
DON PEDRO.   No digas más, calla, bast[e].
[*Aparte.*]
(Perdido soy si el rey sabe
este caso. ¿Qué he de hacer?

---

[16] *aquesa:* esa. Este pronombre no se usaba ya en la lengua hablada, pero seguía utilizándose en el lenguaje poético para adecuar la medida de los versos.   [17] *gocé:* don Juan mantuvo con Isabela una unión carnal.   [18] *habla quedo y cierra el labio:* cuenta en voz baja lo ocurrido y luego no digas más.

exponer todas las hazañas anteriores de su sobrino, de modo que el espectador adquiera información sobre la moral del personaje e infiera que el desarrollo de la obra no viene dado sólo por lo que va a contemplar, sino por otros acontecimientos a los que no ha asistido y que debe conocer también.

Industria[19] me ha de valer   75
en un negocio tan grave.)
    Di, vil, ¿no bastó emprender
con ira y [con] fuerza extraña
tan gran traición en España
con otra noble mujer,   80
    sino en Nápoles también
y en el palacio real
con mujer tan principal?
¡Castíguete el cielo, amén!
    Tu padre desde Castilla   85
a Nápoles te envió,
y en sus márgenes te dio
tierra la espumosa orilla
    del mar de Italia, atendiendo[20]
que el haberte recebido[21]   90
pagaras agradecido,
¡y estás su honor ofendiendo
    y en tan principal mujer![22]
Pero en aquesta ocasión
nos daña la dilación;[23]   95
mira qué quieres hacer.

DON JUAN.   No quiero daros disculpa,
que la habré de dar siniestra.[24]
Mi sangre es, señor, la vuestra;
sacalda, y pague la culpa.   100
    A esos pies estoy rendido,
y ésta es mi espada, señor.

DON PEDRO.   Álzate y muestra valor,
que esa humildad me ha vencido.

---

[19] *industria*: artimaña, habilidad de ingeniar alguna treta para salir del apuro.
[20] *atendiendo*: esperando. [21] *recebido*: recibido. [22] Es decir, que la ciudad de Nápoles esperaba de ti un agradecimiento por haberte acogido, y no sólo no es así, sino que además la ofendes con tu proceder. [23] *nos daña la dilación*: tras sus reproches, don Pedro se ve en la responsabilidad de ayudar a su sobrino y no quiere retrasarse más en buscar una solución. [24] *siniestra*: indebida.

¿Atreveráste a bajar 105
por ese balcón?

DON JUAN.   Sí atrevo,[25]
que alas en tu favor llevo.[26]

DON PEDRO.   Pues yo te quiero ayudar.
Vete a Sicilia o Milán,[27]
donde vivas encubierto. 110

DON JUAN.   Luego[28] me iré.

DON PEDRO.   ¿Cierto?[29]

DON JUAN.   Cierto.

DON PEDRO.   Mis cartas te avisarán
en qué para este suceso
triste, que causado has.

DON JUAN.   [*Aparte.*]
(Para mí alegre, dirás.) 115
Que tuve culpa, confieso.

DON PEDRO.   Esa mocedad te engaña.
Baja, pues, ese balcón.

DON JUAN.   [*Aparte.*]
(Con tan justa pretensión
gozoso me parto a España.)[(4)] 120

(*Vase* DON JUAN *y entra el* REY.)

---

[25] *Sí atrevo:* falta el pronombre complemento, «me», omisión admitida en el siglo XVII y motivada aquí por la métrica.   [26] *alas en tu favor llevo:* gracias a ti puedo huir.
[27] Sicilia y Milán no eran posesiones españolas en el siglo XIV, momento en el que transcurre la acción de *El burlador,* pero sí en el XVII, cuando se representa la comedia.   [28] *luego:* enseguida, rápidamente.   [29] *¿Cierto?:* ¿seguro?

(4) Nótese la nueva pincelada en el retrato de don Juan. Sabiéndose a salvo, en un intento de alardear valentía, insta a su tío a que le castigue por su actitud, eso sí, recordándole de nuevo que es su propio sobrino: «Mi sangre es, señor, la vuestra» (v. 99). Por otro lado, la reprimenda no le ha afectado en absoluto, pues enseguida ve en su huida una nueva ocasión de burla y desobediencia a quien acaba de salvarle la vida.

DON PEDRO.	Ya ejecuté, gran señor,
	tu justicia justa y recta,
	el hombre...
REY.	¿Murió?
DON PEDRO.	Escapóse
	de las cuchillas[30] soberbias.
REY.	¿De qué forma?
DON PEDRO.	Desta forma:	125

          aun no lo mandaste apenas,
cuando sin dar más disculpa,
la espada en la mano aprieta,
revuelve la capa al brazo,[31]
y con gallarda presteza,   130
ofendiendo[32] a los soldados
y buscando su defensa,
viendo vecina la muerte,
por el balcón de la huerta[33]
se arroja desesperado.   135
Siguióle con diligencia
tu gente; cuando salieron
por esa vecina puerta
le hallaron agonizando
como enroscada culebra.   140
Levantóse, y al decir
los soldados: «¡muera, muera!»,
bañado de sangre el rostro,
con tan heroica presteza
se fue, que quedé confuso.   145
La mujer, que es Isabela,
—que para admirarte nombro—
retirada en esa pieza,[34]
dice que es el duque Octavio

---

[30] *cuchillas:* espadas.   [31] *revuelve la capa al brazo:* coloca la capa a modo de escudo sobre el brazo para protegerse.   [32] *ofendiendo:* atacando.   [33] La huerta era realmente el jardín, en el que se plantaban árboles frutales.   [34] *pieza:* sala, habitación.

	que con engaño y cautela[35]	150
	la gozó.(5)	
REY.	¿Qué dices?	
DON PEDRO.	Digo	
	lo que ella propia[36] confiesa.	
REY.	¡Ah, pobre honor! Si eres alma	
	del [hombre], ¿por qué te dejan	
	en la mujer inconstante,	155
	si es la misma ligereza?	
	¡Hola![37]	

(*Sale un* CRIADO.)

CRIADO.	Gran señor.
REY.	Traed
	delante de mi presencia
	esa mujer.
DON PEDRO.	Ya la guardia
	viene, gran señor, con ella.	160

(*Trae la guard[i]a a* ISABELA.)

| ISABELA. | ¿Con qué ojos veré al rey? |
| REY. | Idos y guardad la puerta |

---

[35] *cautela:* traición, engaño ingenioso realizado usando términos ambiguos y palabras equívocas. [36] *propia:* misma. [37] *¡Hola!:* en el siglo XVII no es fórmula de saludo, sino el modo vulgar de hablar usado para llamar a otro que es de inferior clase social.

(5) Don Pedro describe la huida de su sobrino dotándola de heroísmo, para justificar su fuga. Don Juan provoca dos acciones con su proceder, la traición de su tío al rey, al que miente para salvar a su sobrino, y la falsa acusación al inocente duque Octavio. Don Pedro confía, al acusarle ante el rey, que Isabela ratificará sus palabras antes que afirmar la verdad, que no sabe a quién ha prestado sus favores. Ambos mantienen la acusación, don Pedro para salvar a su sobrino e Isabela para proteger lo que le queda de honor.

de esa cuadra.[38] Di, mujer,
¿qué rigor, qué airada estrella[39]
te incitó, que en mi palacio,   165
con hermosura y soberbia,
profanases sus umbrales?

ISABELA.   Señor...

REY.   Calla, que la lengua
no podrá dorar el yerro[40]
que has cometido en mi ofensa.   170
¿Aquél era el duque Octavio?

ISABELA.   Señor...

REY.   No importan fuerzas,[41]
guardas, criados, murallas,
fortalecidas almenas
para amor, que la de un niño[42]   175
hasta los muros penetra.
Don Pedro Tenorio, al punto
a esa mujer llevad presa
a una torre, y con secreto
haced que al duque le prendan,   180
que quiero hacer que le cumpla
la palabra o la promesa.

ISABELA.   Gran señor, volvedme el rostro.[43]

REY.   Ofensa a mi espalda hecha,
es justicia y es razón   185
castigalla[44] a espaldas vueltas.

(*Vase el* REY.)

_____

[38] *cuadra:* sala, habitación que debía su nombre a ser por lo general cuadrada.
[39] *¿qué rigor, qué airada estrella?:* ¿qué crueldad te llevó a esta traición? El rey se refiere
a la supuesta influencia de los astros en el comportamiento humano.   [40] *la lengua /*
no podrá dorar el yerro: tus palabras no podrán justificar tus actos.   [41] *fuerzas:* fortale-
zas.   [42] *la de un niño:* la fuerza del dios del amor, Cupido, representado siempre en
la figura de un niño.   [43] El rey vuelve la espalda a Isabela en señal de desprecio.
[44] *castigalla:* En el proceso de evolución lingüística, la *-r* final de los infinitivos se asi-
miló a la inicial del pronombre personal enclítico *l-*. Aunque esta asimilación no fue
muy corriente en la lengua medieval, se puso de moda en época de Felipe II y fue muy
utilizada por los poetas del XVII.

DON PEDRO.	Vamos, duquesa.
ISABELA.	Mi culpa

no hay disculpa que la venza,
mas no será el yerro tanto
si el duque Octavio lo enmienda.[6]   190

(*Vanse, y sale el* DUQUE OCTAVIO *y* RIPIO, *su criado.*)[7]

RIPIO.	¿Tan de mañana, señor,

te levantas?

OCTAVIO.	No hay sosiego

que pueda apagar el fuego
que enciende en mi alma amor.
    Porque, como al fin es niño,   195
no apetece cama blanda,
entre regalada holanda,[45]
cubierta de blanco armiño.
    Acuéstase, no sosiega,
siempre quiere madrugar   200
por levantarse a jugar,
que al fin como niño juega.
    Pensamientos de Isabela
me tienen, amigo, en calma,[46]

---

[45] *regalada holanda:* la tela de Holanda, fabricada en ese país, era muy fina y apreciada para hacer camisas y ropa de cama; *regalada:* suave, delicada.   [46] *en calma:* turbación, aflicción. Procede del léxico marinero, en referencia a la quietud del viento en el mar que provocaba la inmovilidad de los barcos y desasosiego en los marineros.

(6) Nótese que es el mismo rey, sin saberlo, quien ofrece a Isabela una solución a su deshonor. Por su parte, Isabela aprovecha la acusación del rey al duque Octavio; no sólo no le desmiente, sino que advierte que si el duque Octavio se casa con ella, quedará limpio su honor.

(7) Cambio de escenario. El lector y el espectador deben entender ahora, por medio de las acotaciones contenidas en las intervenciones siguientes, que la escena se desarrolla en casa del duque Octavio o en sus aposentos en palacio.

	que como vive en el alma,	205
	anda el cuerpo siempre en [vela],	
	guardando ausente y presente	
	el castillo del honor.	
RIPIO.	Perdóname, que tu amor	
	es amor impertinente.	210
OCTAVIO.	¿Qué dices, necio?	
RIPIO.	Esto digo:	
	impertinencia es amar	
	como amas. ¿Quies[47] escuchar?	
OCTAVIO.	[Ea], prosigue.	
RIPIO.	Ya prosigo.	
	¿Quiérete Isabela a ti?	215
OCTAVIO.	¿Eso, necio, has de dudar?	
RIPIO.	No, mas quiero preguntar:	
	¿y tú, no la quieres?	
OCTAVIO.	Sí.	
RIPIO.	Pues, ¿no seré majadero,	
	y de solar conocido,[48]	220
	si pierdo yo mi sentido	
	por quien me quiere y la quiero?	
	Si ella a ti no te quisiera,	
	fuera bien el porfialla,	
	regalalla y adoralla,	225
	y aguardar que se rindiera;	
	mas si los dos os queréis	
	con una mesma[49] igualdad,	
	dime, ¿hay más dificultad	
	de que luego[50] os desposéis?	230
OCTAVIO.	Eso fuera, necio, a ser	

---

[47] *¿Quies...?*: ¿Quieres? Apócope vulgar, para adaptar el cómputo silábico y señalar el habla vulgar del gracioso.   [48] *y de solar conocido*: en la época, ser «de solar conocido» significaba poder demostrar la hidalguía, la nobleza, en definitiva, la pureza del linaje. Aplicado a «majadero» quiere significar ser un tonto redomado.   [49] *mesma*: misma.   [50] *luego*: enseguida, rápidamente.

de lacayo o lavandera
la boda.[8]

RIPIO.   Pues ¿es quienquiera
una lavandriz mujer,
lavando y fregatrizando,[51]   235
defendiendo y ofendiendo,
los paños suyos tendiendo,
regalando y remendando?

Dando dije, porque al dar
no hay cosa que se le iguale;   240
y si no, a Isabela dale,
a ver si sabe tomar.[52]

(*Sale un* CRIADO.)

CRIADO.   El embajador de España
en este punto se apea
en el zaguán,[53] y desea,   245
con ira y fiereza extraña,
hablarte, y si no entendí
yo mal, entiendo es prisión.

OCTAVIO.   ¿Prisión? Pues, ¿por qué ocasión?[54]
Decid que entre.

---

[51] *lavandriz... fregatrizando:* lavandera, fregar; son formas culteranas creadas por Tirso para ser utilizadas cómicamente por Ripio.   [52] *Dando... tomar:* alusiones eróticas. El actor acompañaba de gestos estas palabras para dotarlas de su más estricto significado.   [53] *zaguán:* el recibidor de la casa.   [54] *¿por qué ocasión?:* ¿por qué causa?

(8) Los amores entre nobles requerían toda una ceremonia de cortejos y otros símbolos de amor que los diferenciaban de los amores entre plebeyos, cuya boda podía celebrarse poco tiempo después de haberse conocido y sin más protocolo. Ripio apela a la lógica para apartar a su amo de la ensoñación y el aparente malestar que le producen sus sentimientos hacia Isabela. El criado persiste en su intención igualatoria entre nobles y plebeyos ante el amor. La escena cambia inmediatamente y el argumento presentado por Ripio queda en suspenso.

(*Entra* DON PEDRO TENORIO *con guardas.*)

DON PEDRO.	Quien así	250
	con tanto descuido duerme	
	limpia tiene la conciencia.	
OCTAVIO.	Cuando viene vuexcelencia	
	a honrarme y favorecerme,	
	no es justo que duerma yo;	255
	velaré toda mi vida.	
	¿A qué y por qué es la venida?	
DON PEDRO.	Porque aquí el rey me envió.	
OCTAVIO.	Si el rey, mi señor, se acuerda	
	de mí en aquesta ocasión,	260
	será justicia y razón	
	que por él la vida pierda.	
	Decidme, señor, ¿qué dicha	
	o qué estrella me ha guiado,	
	que de mí el rey se ha acordado?[55]	265
DON PEDRO.	Fue, duque, vuestra desdicha.	
	Embajador del rey soy;	
	dél os traigo una embajada.	
OCTAVIO.	Marqués, no me inquieta nada;	
	decid, que aguardando estoy.	270
DON PEDRO.	A prenderos me ha enviado	
	el rey; no os alborotéis.	
OCTAVIO.	¡Vos por el rey[56] me prendéis!	
	Pues, ¿en qué he sido culpado?	
DON PEDRO.	Mejor lo sabéis que yo;	275
	mas, por si acaso me engaño,	
	escuchad el desengaño	
	y a lo que el rey me envió.	
	Cuando los negros gigantes,	
	plegando funestos [t]oldos,	280
	y[a] del crepúsculo huyen	

---

[55] El duque Octavio se siente honrado con la presencia de don Pedro como embajador del rey en su propia casa. [56] *por el rey:* por orden del rey.

tropezando unos con otros,[57]
estando yo con su alteza
tratando ciertos negocios
—porque antípodas del sol   285
son siempre los poderosos—,[58]
voces de mujer oímos,
cuyos ecos, menos roncos,[59]
por los artesones sacros,
nos repitieron: «¡Socorro!».   290
A las voces y al ruido
acudió, duque, el rey propio;[60]
halló a Isabela en los brazos
de algún hombre poderoso;
mas quien al cielo se atreve,   295
sin duda es gigante o monstruo.[61]
Mandó el rey que los prendiera;
quedé con el hombre solo,
llegué y quise desarmalle;
pero pienso que el demonio   300
en él tomó forma humana,
pues que, vuelto en humo y polvo,
se arrojó por los balcones,
entre los pies de esos olmos
que coronan del palacio   305
los chapiteles[62] hermosos.
Hice prender la duquesa
y en [la] presencia de todos
dice que es el duque Octavio
el que con mano de esposo   310
la gozó.

---

[57] *Cuando los negros gigantes...:* don Pedro describe alegóricamente el amanecer.
[58] Era fama que los buenos gobernantes quitaban horas al sueño para atender a sus ocupaciones.   [59] *menos roncos:* los gritos de Isabel son de tono más fino que el de los hombres.   [60] *propio:* en persona.   [61] Don Pedro compara el palacio del rey con el cielo, como el más alto poder. La referencia de los gigantes se dirige a aquellos que, según la mitología clásica, intentaron llegar al Olimpo y destronar a los dioses, pero fueron destruidos por éstos.   [62] *chapitel:* el remate de la torre alta, que tiene forma de pirámide.

OCTAVIO.   ¿Qué dices?
DON PEDRO.   Digo
                    lo que al mundo es ya notorio
                    y que tan claro se sabe:
                    que Isabela por mil modos...
OCTAVIO.   Dejadme, no me digáis   315
                    tan gran traición de Isabela.
                    Mas si fue su [amor] cautela,
                    proseguid, ¿por qué calláis?
                    Mas si veneno me dais,
                    que a un firme corazón toca,   320
                    y así a decir me provoca,
                    que imita a la comadreja,
                    que concibe por la oreja
                    para parir por la boca.[63]
                        ¿Será verdad que Isabela,   325
                    alma, se olvidó de mí
                    para darme muerte? Sí;
                    que el bien suena y el mal vuela.[64]
                    Ya el pecho nada recela
                    juzgando si son antojos;   330
                    que, por darme más enojos,
                    al entendimiento entró
                    y por la oreja escuchó
                    lo que acreditan los ojos.[9]

---

[63] Era creencia antigua que la comadreja paría por la boca y concebía por la oreja. Aquí se aplica la metáfora en el sentido de que las palabras de don Pedro se han convertido en veneno para Octavio, veneno que le entra por las orejas y le provoca las palabras que exclama a continuación.   [64] *el bien suena y el mal vuela:* el refrán da a entender que el bien que uno hace no se deja de saber, aunque tarde; sin embargo las malas acciones se conocen enseguida y son difíciles de ocultar.

(9) El duque Octavio describe los efectos que las palabras de don Pedro producen en su cuerpo: del pecho, del corazón, llegan a la razón, el oído y la vista. Le cuesta mucho creer las palabras del embajador y lo que ello significa, pero no tiene razón al dudar del amor de Isabela, pues

Señor marqués, ¿es posible 335
que Isabela me ha engañado,
y que mi amor ha burlado?
¡Parece cosa imposible!
¡Oh, mujer! ¡Ley tan terrible
de honor, a quien me provoco 340
a emprender!⁶⁵ Mas yo no toco
en tu honor esta cautela.
¿Anoche con Isabela
hombre en palacio?... ¡Estoy loco!

DON PEDRO.   Como es verdad que en los vientos 345
hay aves, en el mar peces,
que participan a veces
de todos cuatro elementos,⁶⁶
como en la gloria hay contentos,
lealtad en el buen amigo, 350
traición en el enemigo,
en la noche escuridad,⁶⁷
y en el día claridad,
así es verdad lo que digo.

OCTAVIO.   Marqués, yo os quiero creer. 355
No hay cosa que me espante,
que la mujer más constante
es, en efeto, mujer.
No me queda más que ver
pues es patente mi agravio. 360

DON PEDRO. Pues que sois prudente y sabio
elegid el mejor medio.⁶⁸

---

⁶⁵ Octavio se muestra preocupado y molesto por tener que someterse a la ley del honor, que le exige retarse a duelo.   ⁶⁶ Los cuatro elementos son tierra, sol, agua y fuego.   ⁶⁷ *escuridad:* oscuridad.   ⁶⁸ *elegid el mejor medio:* buscad la mejor solución.

ésta, realmente, creyó haber pasado la noche con el duque Octavio, y no con otro hombre.

OCTAVIO.	Ausentarme es mi remedio.	
DON PEDRO.	Pues sea presto, duque Octavio.	
OCTAVIO.	Embarcarme quiero a España	365
	y darle a mis males fin.	
DON PEDRO.	Por la puerta del jardín,	
	duque, esta prisión se engaña.[69] [10]	
OCTAVIO.	¡Ah, veleta! ¡Débil caña!	
	A más furor me provoco	370
	y extrañas[70] provincias toco	
	huyendo desta cautela.	
	¡Patria, adiós! ¿Con Isabela	
	hombre en palacio?... ¡Estoy loco!	

no hay / transición (handwritten annotation)

(*Vanse, y sale* TISBEA, *pescadora,*[11] *con una caña de pescar en la mano.*)

---

[69] *se engaña:* se burla. Podrá huir de la prisión si se escapa por la ventana. [70] *extrañas:* extranjeras. El duque Octavio decide exiliarse.

(10) Obsérvese cómo don Pedro se dispone a apresar al duque Octavio. Primero, justifica su llegada, afirmando obedecer órdenes del rey. Ante la lógica tranquilidad y expectativa de Octavio, comienza a acusarle, aunque conoce de sobra su inocencia. La intervención se convierte en una acotación interna en la que se describe la ubicación espacio-temporal del lance ocurrido en palacio. Don Pedro deja que Octavio crea que Isabela le ha engañado con otro hombre y que, tras pedir auxilio y ser interrogada, dice que ha sido el duque quien ha abusado de ella. Obsérvese, sin embargo, que don Pedro se refiere al burlador como «algún hombre poderoso» (v. 294) y después pone en boca de Isabela la acusación a Octavio. Permite también que Octavio recurra a la condición femenina de Isabela, cargada de connotaciones negativas y tópicos misóginos de la época, para acabar de creer todo lo que de su amada le está refiriendo. Además, en la conformación final de Octavio, «no me queda más que ver», reproduce las mismas palabras del rey en el verso 36. Por último, don Pedro consiente y alienta la huida del duque a España —hecho que le culpa definitivamente—, seguro de salvar así a su sobrino, pues ignora que éste le ha desobedecido y hacia allí ha huido también. El público sí posee esa información, de modo que queda preparado el desarrollo de la obra.

(11) Las indicaciones del autor para la puesta en escena en los textos

TISBEA.   Yo, de cuantas el mar
    pies de jazmín y rosa, 375
    en sus riberas besa
    con fugitivas olas,
    sola de amor exenta,[71]
    como en ventura sola,
    tirana[72] me reservo 380
    de sus prisiones locas,
    aquí donde el sol pisa
    soñolientas las ondas,[73]
    alegrando zafiros 385
    las que espantaba sombras.[74]
    Por la menuda arena,
    unas veces aljófar[75]
    y átomos otras veces
    del sol que así le dora, 390
    oyendo de las aves
    las quejas amorosas,
    y los combates dulces
    del agua entre las rocas,
    ya con la sutil caña 395
    que [e]l débil peso dobla
    del necio pececillo[76]

[71] *sola de amor exenta:* Tisbea se siente dichosa por ser la única de las pescadoras libre de las pasiones que provoca el amor. [72] *tirana:* no atiende ningún otro requerimiento más que su propia voluntad. [73] *soñolientas las ondas:* las olas del mar que se mueven lentamente. [74] *alegrando zafiros / las que espantaba sombras:* expresa el amanecer, que ilumina el brillo azulado de las olas semejando zafiros y hace desaparecer las sombras como si éstas huyeran al llegar el sol. [75] *aljófar:* perlas pequeñas; el sol hace brillar la fina arena del mar, de manera que asemeja pequeñas perlas unas veces y otras parece átomos del sol. [76] *necio pececillo:* el que ha picado el anzuelo.

dramáticos áureos son muy escasas y se limitan a señalar tan sólo el vestuario o el tipo de personajes que se definen por su condición social. La interpretación de estas acotaciones mínimas corría a cargo del director de la compañía.

que el mar salado azota,
o ya con la atarraya[77]
que en sus moradas hondas   400
prende cuantos habitan
aposentos de conchas,
seguramente tengo
que en libertad se goza
el alma que amor áspid[78]   405
no le ofende ponzoña.
En pequeñuelo esquife[79]
y ya en compañía de otras
tal vez al mar le peino
la cabeza espumosa,   410
y cuando más perdidas
querellas de amor forman,
como de todos río,
envidia soy de todas.
¡Dichosa yo mil veces,   415
amor, pues me perdonas,
si ya, por ser humilde,
no desprecias mi choza!
Obeliscos de paja,[80]
mi edificio coronan   420
nidos; si no, hay cigarras,
o tortolillas locas.
Mi honor conservo en pajas,[81]
como fruta sabrosa,
vidrio guardado en ellas   425

---

[77] *atarraya:* red redonda con algunos plomos que se tira al mar; con el peso del plomo llega al fondo y se tira después de ella, de manera que conserva en su interior la pesca atrapada. Los moluscos («cuantos habitan aposentos de conchas») se pescaban así. [78] *amor áspid:* construcción sustantivo + sustantivo, el último con valor de adjetivo. Tisbea define al amor como una serpiente que inocula veneno ante el que la pescadora se siente a salvo. [79] *esquife:* barco pequeño que utilizaban los barcos más grandes para llegar a tierra. [80] *Obeliscos de paja:* la pobre techumbre de su casa, a modo de corona, que sirve como acomodo de nidos. [81] *Mi honor conservo en pajas:* la fruta recogida se guardaba en pajas para preservarla hasta su consumo.

para que no se rompa.
De cuantos pescadores
con fuego Tarragona
de piratas defiende[82]
en la argentada costa,[83]   430
desprecio soy, encanto[84]
a sus suspiros sorda,
a sus ruegos terrible,
a sus promesas roca.
Anfriso, a quien el cielo   435
con mano poderosa,
prodigio en cuerpo y alma,
[dotó de] gracias todas,
medido en las palabras,
liberal[85] en las obras,   440
sufrido en los desdenes,
modesto en las congojas,
mis pajizos umbrales,[86]
que heladas noches ronda,
a pesar de los tiempos[87]   445
las mañanas remoza;
pues con [los] ramos verdes
que de los olmos corta,
mis pajas amanecen
ceñidas de lisonjas.   450
Ya con vigüelas dulces   *pastoriles*
y sutiles zampoñas
músicas me consagra,[88]

---

[82] Alude a las señales de fuego que se hacían en Tarragona avisando la llegada de barcos piratas; de este modo, Tarragona defiende a los pescadores.   [83] *argentada costa:* el agua del mar y las olas rompiendo en la costa recuerdan el color de la plata.   [84] *desprecio soy, encanto:* es desprecio para con los pescadores, y a la vez, encanto, porque todos se enamoran de ella.   [85] *liberal:* generoso.   [86] *pajizos umbrales:* la puerta de la choza en la que vive.   [87] *tiempos:* temporales, tormentas.   [88] *las mañanas remoza... músicas me consagra:* Tisbea expresa el enamoramiento de Anfriso, quien todas las mañanas alegra la puerta de su casa, adornándola con ramas de olmo recién cortadas y tocando la vihuela o la zampoña, instrumentos musicales típicos de la poesía pastoril.

y todo no le importa,
porque en tirano imperio   455
vivo, de amor señora,[89]
que halla gusto en sus penas
y en sus infiernos gloria.
Todas por él se mueren,
y yo todas las horas   460
le mato con desdenes:
de amor condición propia,
querer donde aborrecen,
despreciar donde adoran,
que si le alegran muere,   465
y vive si le oprobian.
En tan alegre día
segura de lisonjas,
mis juveniles años
amor no los malogra,   470
que en edad tan florida,
amor, no es suerte poca
no ver [entre estas redes]
las tuyas amorosas.
Pero, necio discurso   475
que mi ejercicio[90] estorbas,
en él no me diviertas[91]
en cosa que no importa.
Quiero entregar la caña
al viento, y a la boca   480
del pececillo [e]l cebo.
Pero al agua se arrojan
dos hombres de una nave,
antes que el mar la sorba,
que sobre el agua viene   485
y en un escollo aborda;

---

[89] *de amor señora:* se siente dueña del amor y no sometida a su poder.   [90] *ejercicio:* quehacer, en este caso, la ocupación de Tisbea, la pesca.   [91] *diviertas:* distraigas.

como hermoso pavón,[92]
hace las velas cola,
adonde los pilotos
todos los ojos pongan.[93]   490
Las olas va escarbando,
y ya su orgullo y pompa[94]
casi la desvanece.
Agua un costado toma.
Hundióse y dejó al viento   495
la gavia, que la escoja
para morada suya,
que un loco en gavias[95] mora.

    (*Dentro:* ¡Que me ahogo!)

Un hombre a otro aguarda
que dice que se ahoga.   500
¡Gallarda cortesía!
En los hombros le toma.
Anquises le hace Eneas,
si el mar está hecho Troya.[96]

---

[92] *pavón:* pavo real.   [93] *adonde los pilotos / todos los ojos pongan:* alude a Argos, quien tenía cien ojos, dos de los cuales, y por turno, dormían, y el resto vigilaba. Muerto Argos, Juno colocó los cien ojos sobre la cola de un pavo real; así, Tirso utiliza la comparación con el barco de don Juan a punto de naufragar, que deja caer sus velas sobre el mar —como la cola del pavo real— y los ojos de los marineros asustados se colocan allí.   [94] *pompa:* continúa la comparación del hundimiento del barco con el pavo real; tras *escarbar* en las olas, ahora el barco pierde su orgullo y *pompa* —la rueda que forma el pavo real extendiendo y levantando la cola—, a medida que se hunde.   [95] *gavia:* Tisbea juega con el doble significado de *gavia.* Primero se refiere a la parte del barco que está en los mástiles, desde donde el grumete ve todo el mar; después el barco se hunde y sólo se ve la gavia, sacudida por el viento como loco, pues la gavia era también una jaula de palo donde se encerraba a los dementes.   [96] Tisbea relata lo que está viendo: un hombre salva la vida a otro sacándole en hombros del agua, donde está a punto de morir ahogado. La pescadora traza un paralelismo entre esta escena y el episodio de la *Eneida* de Virgilio en el que Eneas salva a su padre Anquises al sacarle en hombros de la ciudad de Troya en llamas. Las alusiones al relato de la guerra de Troya se repiten a lo largo de la obra.

Ya, nadando, las aguas   505
con valentía corta,
y en la playa no veo
quien le ampare y socorra.
Daré voces: «¡Tirseo,
Anfriso, Alfredo, hola!»   510
Pescadores me miran,
plega a Dios[97] que me oigan.
Mas milagrosamente
ya tierra los dos toman,
sin aliento el que nada,   515
con vida el que le estorba.

(*Saca en brazos* CATALINÓN *a* DON JUAN, *mojados.*)[12]

CATALINÓN.   ¡Válgame la Cananea,[98]
                     y qué salado está el mar!

---

   [97] *plega a Dios:* ruega a Dios. Esta frase caracteriza a Tisbea en su diálogo con don Juan.   [98] *¡Válgame la Cananea!:* juramento ridículo de Catalinón. La crítica expone varias interpretaciones para este juramento, quizá referido a San Cristóbal Cananeo, que sacaba en hombros a los que atravesaban los ríos, o bien a las bodas de Caná, donde Cristo convirtió el agua en vino. Catalinón hace uso de invocaciones inverosímiles para subrayar su carácter de gracioso.

(12) El escenario ha cambiado totalmente. La acción, como se desprende de los datos que aporta Tisbea, transcurre en Tarragona. Este largo monólogo posee una clara función dramática: separar en el tiempo escénico la burla a Isabela y el episodio de Tisbea. En su intervención, Tisbea emprende una larga reflexión sobre su persona que prepara al lector y al espectador para introducirse en el desarrollo de la acción. La pescadora presume de que todos los pescadores están enamorados de ella, pero ella se siente afortunada —y lo repite una y otra vez— por no haber sido nunca tocada por Amor. Alardea incluso de provocar la envidia de las demás pescadoras porque Anfriso, el pescador más apuesto, está locamente enamorado de ella. Cuando se dispone a reemprender su tarea, ve hundirse un barco en el mar. Describe pormenorizadamente el naufragio; sus palabras sustituyen la representación del hundimiento, que obviamente

Aquí[99] puede bien nadar
el que salvarse desea,   520
    que allá dentro es desatino
donde la muerte se fragua,
donde Dios juntó tanta agua,
¿no juntara tanto vino?
    Agua salada, extremada   525
cosa para quien no pesca.
Si es mala aun el agua fresca,
¿qué será el agua salada?[100]
    ¡Oh, quién hallara una fragua
de vino,[101] aunque algo encendido!   530
Si de la agua que he bebido
escapo yo, no más agua.
    Desde hoy abernuncio[102] della;[103]
que la devoción me quita
tanto, que agua bendita   535
no pienso ver, por no vella.
    ¡Ah, señor! Helado [y frío]
[está]. ¿Si esta[rá ya] muerto?
Del mar fue este desconcierto,
y mío este desvarío.   540
    ¡Mal haya aquel que primero

---

[99] *Aquí:* la orilla de la playa.   [100] *agua salada:* en salazón, en conserva. Es decir, que si el agua fresca ya no le gusta, cuánto menos será de su agrado el agua en conserva. Catalinón juega con los dos sentidos de 'salada' aplicados a 'agua', agua en conserva y agua con sal = el agua del mar, para expresar exageradamente su rechazo al mar.   [101] *fragua / de vino:* a la fragua se le echaba agua de vez en cuando. Catalinón suspira por que fuera vino en vez de agua todo lo que ha tragado.   [102] *abernuncio:* renuncio. Rechazo a las cosas que pueden ser de mal agüero o de daño conocido.   [103] *della:* contracción, de ella.

resultaría muy complicado de representar. El pasaje puede resultar ambiguo por la acotación: es don Juan quien salva la vida a Catalinón, pero, extenuado por sacarle del mar a hombros (*sin aliento el que nada*), se desmaya al llegar a la orilla, y ya es allí donde Catalinón le saca en brazos hasta el lugar donde se encuentra Tisbea.

pinos en la mar sembró,[104]
y que sus rumbos midió
con quebradizo madero!
　　¡Maldito sea el vil sastre   545
que cosió el mar que dibuja
con astronómica aguja,[105]
causa de tanto desastre!
　　¡Maldito sea Jasón,
y Tifis maldito sea![106]   550
Muerto está, no hay quien lo crea.
¡Mísero Catalinón!
　　¿Qué he de hacer?

TISBEA.　　　　　　　　　　Hombre, ¿qué tienes
en desventuras iguales?

CATALINÓN.　Pescadora, muchos males,   555
y falta de muchos bienes.
　　Veo, por librarme a mí,
sin vida a mi señor. Mira
si es verdad.

TISBEA.　　　　　　　No, que aún respira.

CATALINÓN.　¿Por dónde? ¿Por aquí?

TISBEA.　　　　　　　　　　Sí;   560
pues, ¿por dónde?

CATALINÓN.　　　　　　　Bien podía
respirar por otra parte.[107]

TISBEA.　　Necio estás.

CATALINÓN.　　　　　　Quiero besarte
las manos de nieve fría.

---

[104] *pinos en la mar sembró:* es sinónimo de fletar barcos, fabricados con madera de pino.　[105] *astronómica aguja:* brújula.　[106] Según la mitología clásica, Jasón encabezó la heroica empresa de los argonautas que fueron en busca del vellocino de oro. Tifis era el experto marinero que pilotó la nave *Argos* en la que viajaban todos. La intervención de Catalinón es una imprecación al mar, causante de su naufragio.
[107] Catalinón muestra su condición de gracioso con este chiste escatológico, alusivo a las ventosidades. El actor que representara este papel acompañaría estas palabras con algún gesto que evidenciara más su significado.

TISBEA.	Ve a llamar los pescadores	565
	que en aquella choza están.	
CATALINÓN.	Y si los llamo, ¿vernán?[108]	
TISBEA.	Vendrán presto. No lo ignores.[109]	
	¿Quién es este caballero?	
CATALINÓN.	Es hijo aqueste señor	570
	del camarero mayor[110]	
	del rey, por quien ser espero	
	antes de seis días conde	
	en Sevilla, donde va,	
	y adonde su alteza está,	575
	si a mi amistad corresponde.	
TISBEA.	¿Cómo se llama?	
CATALINÓN.	Don Juan	
	Tenorio.	
TISBEA.	Llama mi gente.	
CATALINÓN.	Ya voy. (*Vase.*)	

(*Coge en el regazo* TISBEA *a* DON JUAN.)

TISBEA.	Mancebo excelente,	
	gallardo, noble y galán.	580
	Volved en vos, caballero.	
DON JUAN.	¿Dónde estoy?	
TISBEA.	Ya podéis ver;	
	en brazos de una mujer.**(13)**	
DON JUAN.	Vivo en vos, si en el mar muero.	
	Ya perdí todo el recelo	585

---

[108] *vernán:* forma arcaica del futuro, 'vendrán'. [109] *No lo ignores:* no lo dudes. [110] *camarero mayor:* uno de los más importantes cargos de la servidumbre palatina. Al prestar sus servicios en la cámara del rey, el camarero mayor estaba continuamente con el monarca, y podía por tanto influir en él.

(13) Comienza el cortejo de don Juan. El burlador desconoce que la pescadora acaba de interrogar a su criado y que éste le ha ofrecido toda la información, que Tisbea utiliza en su propio beneficio. El súbito

que me pudiera anegar,
pues del infierno del mar
salgo a vuestro claro cielo.

Un espantoso huracán
dio con mi nave al través,[111]   590
para arrojarme a esos pies
que abrigo y puerto me dan.

Y en vuestro divino oriente[112]
renazco, y no hay que espantar,
pues veis que hay de amar a mar[113]   595
una letra solamente.

TISBEA.   Muy grande aliento tenéis
para venir soñoliento[114]
y más[115] de tanto tormento
mucho tormento ofrecéis.   600

Pero si es tormento el mar
y son sus ondas crueles,
la fuerza de los cordeles
pienso que os hacen hablar.[116]

Sin duda que habéis bebido   605
del mar la oración[117] pasada,
pues por ser de agua salada
con tan grande sal ha sido.[118]

---

[111] *dio con mi nave al través:* hizo naufragar mi barco. [112] *divino oriente:* alude al nacimiento del sol, personificado en Tisbea, que le hace volver a vivir. [113] Juego de palabras muy común en la literatura de la época. [114] *soñoliento:* perezoso, cansado. [115] *y más:* además. [116] Tisbea establece un paralelismo semántico entre el mar/las olas y el tormento/los cordeles que se usaban para atar al reo, tortura utilizada para obligarle a confesar sus delitos; así, atribuye al suplicio sufrido las palabras enamoradas de don Juan. [117] *oración:* razonamiento, las palabras que ha dicho anteriormente don Juan. [118] Tisbea no siente sinceras las palabras de don Juan, e insinúa que sus palabras son producto del tormento sufrido en el agua salada, y están por tanto sazonadas.

enamoramiento de la pescadora queda en entredicho. Las prendas que fascinan a Tisbea no tienen nada que ver con la gallardía de don Juan y sí con la condición social que Tisbea pretende, bajo su apariencia ingenua, alcanzar.

> Mucho habláis cuando no habláis,
> y cuando muerto venís   610
> mucho al parecer sentís;
> ¡plega a Dios que no mintáis!
>   Parecéis caballo griego
> que el mar a mis pies desagua
> pues venís formado de agua   615
> y estáis preñado de fuego.[119]
>   Y si mojado abrasáis,
> estando enjuto,[120] ¿qué haréis?
> Mucho fuego prometéis;
> ¡plega a Dios que no mintáis!   620

DON JUAN.   A Dios, zagala, pluguiera
> que en el agua me anegara
> para que cuerdo acabara
> y loco en vos no muriera;
>   que el mar pudiera anegarme   625
> entre sus olas de plata
> que sus límites desata,
> mas no pudiera abrasarme.
>   Gran parte del sol mostráis,
> pues que el sol os da licencia,   630
> pues sólo con la apariencia,
> siendo de nieve,[121] abrasáis.

TISBEA.   Por más helado que estáis,
> tanto fuego en vos tenéis,
> que en este mío os ardéis.   635
> ¡Plega a Dios que no mintáis!

(*Salen* CATALINÓN, CORIDÓN *y* ANFRISO, *pescadores.*)

CATALINÓN.   Ya vienen todos aquí.

---

[119] Alude al caballo de Troya, de apariencia inocente pero que en su interior contenía los guerreros armados que, una vez introducido el caballo en el recinto de la ciudad, salieron del interior y arrasaron el lugar.   [120] *enjuto:* seco.   [121] Se refiere don Juan al color de su piel, blanquísimo, según los tópicos de la belleza en la época.

Tisbea.	Y ya está tu dueño vivo.
Don Juan.	Con tu presencia recibo
	el aliento que perdí.

640

Coridón.	¿Qué nos mandas?
Tisbea.	Coridón,

Anfriso, amigos...

Coridón.	Todos

buscamos por varios modos
esta dichosa ocasión.[122]

Di qué nos mandas, Tisbea,   645
que por labios de clavel
no lo habrás mandado a aquel
que idolatrarte desea,

apenas, cuando al momento,
sin cesar, en llano o sierra,   650
surque el mar, tale la tierra,
pise el fuego, [y pare] el viento.

Tisbea.   (*Aparte.*)

(¡Oh, qué mal me parecían
estas lisonjas ayer,
y hoy echo en ellas de ver   655
que sus labios no mentían!)

Estando, amigos, pescando
sobre este peñasco, vi
hundirse una nave allí,
y entre las olas nadando   660

dos hombres; y compasiva,
di voces, y nadie oyó;
y en tanta aflicción llegó
libre de la furia esquiva

del mar, sin vida a la arena,   665
deste en los hombros cargado,
un hidalgo y anegado,

---

[122] Todos los pescadores, enamorados de Tisbea, habían deseado que ella les reclamara, que les necesitara para algo.

	y envuelta en tan triste pena	
	a llamaros envié.	
ANFRISO.	Pues aquí todos estamos,	670
	manda que tu gusto hagamos	
	lo que pensado no fue.[123]	
TISBEA.	Que a mi choza los llevemos	
	quiero, donde, agradecidos,[124]	
	reparemos sus vestidos,	675
	y a ellos regalaremos;[125]	
	que mi padre gusta mucho	
	desta debida piedad.	
CATALINÓN.	¡Extremada es su beldad!	
DON JUAN.	Escucha aparte.	
CATALINÓN.	Ya escucho.	680
DON JUAN.	Si te pregunta quién soy,	
	di que no sabes.	
CATALINÓN.	¡A mí!...	
	¿Quieres advertirme a mí	
	lo que he de hacer?[126]	
DON JUAN.	Muerto voy	
	por la hermosa [pescadora];	685
	esta noche he de gozalla.	
CATALINÓN.	¿De qué suerte?[127]	
DON JUAN.	Ven y calla.	
CORIDÓN.	Anfriso, dentro de un hora	
	[los pescadores prevén]	
	que canten y bailen.	
ANFRISO.	Vamos,	690
	y esta noche nos hagamos	
	rajas, y palos también.[128]	

---

[123] *lo que pensado no fue:* nunca creímos que nos fueras a pedir algún favor. [124] *agradecidos:* los pescadores se mostrarán gratificados por poder ejercer la hospitalidad y la caridad con los náufragos. [125] *regalaremos:* agasajaremos. [126] Esta escena del gracioso había sido preparada unos versos más arriba, cuando Tisbea interrogó directamente a Catalinón y éste contestó con respuestas rápidas y concretas. [127] *¿De qué suerte?:* ¿cómo?, ¿de qué forma? [128] *rajas, y palos también:* excederse en algo, en este caso bailar hasta el agotamiento.

DON JUAN.	Muerto soy.
TISBEA.	¿Cómo, si andáis?
DON JUAN.	Ando en pena, como veis.
TISBEA.	Mucho habláis.
DON JUAN.	Mucho entendéis 695
TISBEA.	¡Plega a Dios que no mintáis! (*Vanse.*)

(*Sale* DON GONZALO DE ULLOA *y el* REY DON ALONSO DE
CASTILLA[129]) [(14)]

REY.	¿Cómo os ha sucedido en la embajada,
	Comendador mayor?[130]
DON GONZALO.	Hallé en Lisboa
	al rey don Juan,[131] tu primo, previniendo[132]
	treinta naves de armada.
REY.	¿Y para dónde? 700
DON GONZALO.	Para Goa[133] me dijo, mas yo entiendo
	que a otra empresa más fácil apercibe.
	A Ceuta o Tánger pienso que pretende
	cercar este verano.

---

[129] Don Alfonso XI de Castilla, 1312-1350. La acción de *El burlador* transcurre, por tanto, en el siglo XIV.   [130] *Comendador mayor:* las órdenes militares estaban dirigidas por un maestre al que asistía un comendador mayor. Éste poseía una encomienda, es decir, un lugar o castillo del cual recibía rentas a cambio de su protección y cuidado.   [131] Don Juan I, rey de Portugal, primo de Alfonso XI de Castilla, comenzó su reinado en 1385, treinta y cinco años después de la muerte de Alfonso XI. El anacronismo es evidente, pero no la veracidad de la Historia; ambos reyes existieron realmente y eran primos.   [132] *previniendo:* preparando.   [133] *Goa:* ciudad y puerto de la India, colonia portuguesa. En Portugal se relacionaba en la época de Tirso con las grandes conquistas realizadas por el país vecino.

(14) La acción se traslada de nuevo al ambiente palaciego; la acción transcurre en Sevilla, en el palacio del rey, lugar al que se dirige don Juan. Obsérvese también la introducción de los versos endecasílabos sueltos que utilizan el rey y don Gonzalo. Esta diferenciación le sirve a Tirso —seguidor del *Arte Nuevo...*— para subrayar las diferencias cualitativas entre unos y otros personajes.

REY.   Dios le ayude,
y premie el celo de aumentar su gloria.   705
¿Qué es lo que concertasteis?

DON GONZALO.   Señor, pide
a Cerpa y Mora, y Olivencia y Toro;
y por eso te vuelve a Villaverde,
al Almendral, a Mértola y Herrera
entre Castilla y Portugal.

REY.   Al punto   710
se firmen los conciertos, don Gonzalo.[134]
Mas decidme primero cómo ha ido
en el camino, que vendréis cansado
y alcanzado[135] también.

DON GONZALO.   Para serviros,
nunca, señor, me canso.

REY.   ¿Es buena tierra   715
Lisboa?

DON GONZALO.   La mayor ciudad de España;[136]
y si mandas que diga lo que he visto
de lo exterior y célebre, en un punto
en tu presencia te pondré un retrato.

REY.   Gustaré de oíllo. Dadme silla.   720

DON GONZALO. Es Lisboa una otava maravilla.
De las entrañas de España,
que son las tierras de Cuenca,
nace el caudaloso Tajo,
que media España atraviesa.   725
Entra en el mar Oceano,
en las sagradas riberas
de esta ciudad, por la parte

---

[134] Todos los lugares citados anteriormente (Cerpa, Mora, Olivencia...) se encuentran en la frontera entre España y Portugal, y pertenecían a uno u otro reino. El embajador pretende mostrar las buenas relaciones existentes entre ambos reinos, que se intercambian territorios casi amistosamente. [135] *alcanzado:* adeudado, empeñado. [136] En la época de Tirso de Molina el reino de Portugal pertenecía al rey de España, y por tanto también la ciudad de Lisboa. Portugal se independizó de España en 1640.

del sur, mas antes que pierda
su curso y su claro nombre   730
hace un cuarto entre dos sierras,[137]
donde está[n] de todo el orbe
barcas, naves, carabelas.
Hay galeras y saetías[138]
tantas, que desde la tierra   735
parece una gran ciudad
adonde Neptuno[139] reina.
A la parte del poniente
guardan del puerto dos fuerzas
de Cascaes y San Gian,[140]   740
las más fuertes de la tierra.
Está, desta gran ciudad,
poco más de media legua
Belén, convento del santo
conocido por la piedra   745
y por el león de guarda,
donde los reyes y reinas
católicos y cristianos
tienen sus casas perpetuas.[141]
Luego esta máquina[142] insigne,   750
desde Alcántara[143] comienza
una gran legua a tenderse

---

[137] *hace un cuarto entre dos sierras:* el Tajo hace un cuadrante (en lenguaje marinero, un giro de 90 grados) entre las sierras portuguesas de Sintra y de Arrábida.
[138] *saetía:* embarcación de vela latina de tres palos y una sola cubierta.   [139] *Neptuno:*
dios del mar en la mitología romana, identificado totalmente con el Poseidón de la
mitología griega.   [140] En el puerto de Lisboa vigilan dos fortificaciones (*fuerzas*), la
de Cascaes, que actualmente es una pequeña población muy cercana a Lisboa, y
Sangián, que es la castellanización de São Julião, fortaleza en la misma desemboca-
dura del Tajo.   [141] El convento de San Jerónimo de Belem no existía aún en la
época de Juan I. La piedra aludida es aquella con la que, según la tradición, San
Jerónimo se hería el pecho, y el león, el que entró en su monasterio y al que
San Jerónimo le extrajo una espina. En este convento de San Jerónimo estaban enterrados los reyes de Portugal, por eso se convierte el convento en sus *casas perpetuas.*
[142] *máquina:* edificación.   [143] *Alcántara:* arroyo que se encuentra entre Belem y
Lisboa.

al convento de Iobregas.[144]
En medio está el valle hermoso
coronado de tres cuestas,   755
que quedara corto Apeles[145]
cuando [pintarlas] quisiera,
porque, miradas de lejos,
parecen piñas de perlas
que están pendientes del cielo,   760
en cuya grandeza inmensa
se ven diez Romas cifradas
en conventos y en iglesias,
en edificios y calles,
en solares y encomiendas,   765
en las letras y en las armas,
en la justicia tan recta,
y en una *Misericordia*[146]
que está honrando su ribera,
y pudiera honrar a España   770
y aun enseñar a tenerla.
Y en lo que yo más alabo
desta máquina soberbia,
es que del mismo castillo[147]
en distancia de seis leguas,   775
se ven sesenta lugares
que llega el mar a sus puertas,
uno de los cuales es
el convento de Olivelas,[148]
en el cual vi por mis ojos   780
seiscientas y treinta celdas,

---

[144] *Iobregas:* Jabregas, convento de franciscanos fundado en 1508.   [145] *Apeles:* pintor oficial de Alejandro Magno, que debía su fama a ser un exquisito retratista.
[146] *Misericordia:* Tirso juega con el doble significado de 'misericordia', aplicado a obra de caridad y como tal ennoblecedora, y la Casa de la Misericordia, cofradía fundada en 1498 cerca del Tajo, en Lisboa.   [147] Quizás se alude al Castelo de São Jorge, en Lisboa.   [148] *Olivelas:* Odivelas, monasterio contruido por el rey don Dionís entre 1295 y 1305 para la orden del Císter. Se encuentra a unos doce kilómetros de Lisboa. Su iglesia y convento están también muy relacionados con la corona de Portugal.

y entre monjas y beatas
pasan de mil y docientas.
Tiene desde allí a Lisboa,
en distancia muy pequeña,   785
mil y ciento y treinta quintas,[149]
que en nuestra provincia Bética[150]
llaman cortijos, y todas
con sus huertos y alamedas.
En medio de la ciudad   790
hay una plaza soberbia
que se llama del *Ruzío*,[151]
grande, hermosa y bien dispuesta,
que habrá cien años y aun más
que el mar bañaba su arena,   795
y ahora della a la mar
hay treinta mil casas hechas;
que, perdiendo el mar su curso,
se tendió a partes diversas.
Tiene una calle que llaman   800
rua Nova o calle Nueva,
donde se cifra el Oriente[152]
en grandezas y riquezas;
tanto, que el rey me contó
que hay un mercader en ella   805
que, por no poder contarlo,
mide el dinero a fanegas.[153]
El terrero,[154] donde tiene

---

[149] *quinta:* casa de campo donde se retiran sus dueños para descansar en algunas épocas del año. Debe su nombre a que los que las cuidaban debían pagar una quinta parte de lo cosechado a sus dueños.   [150] *provincia Bética:* Andalucía.   [151] Plaza del *Ruzío:* la plaza del Rossio, en el centro de Lisboa.   [152] La *rua Nova* se hallaba en el centro de Lisboa y fue destruida por el terremoto de 1755. Allí colocaban sus tiendas los mercaderes portugueses llegados de las Indias Orientales. La expresión *cifrar el oriente* significa contar las riquezas procedentes de las expediciones portuguesas en la India. [153] *fanegas:* en fanegas se medían los granos de trigo.   [154] *El terrero:* o Terreiro do Paço, la plaza del Palacio, desde donde se ven los barcos anclados en el puerto. Muy cercano se encontraba también otro *terreiro* destinado al almacenamiento de trigo.

Portugal su casa regia,
tiene infinitos navíos,   810
varados siempre en la tierra,
de sólo cebada y trigo
de Francia y Ingalaterra.
Pues el palacio real,
que el Tajo sus manos besa,   815
es edificio de Ulises,[155]
que basta para grandeza,
de quien toma la ciudad
nombre en la latina lengua,
llamándose Ulisibona,[156]   820
cuyas armas son la esfera,
por pedestal de las llagas
que en la batalla sangrienta
[a]l rey don Alfonso Enríquez
dio la Majestad Inmensa.[157]   825
Tiene en su gran tarazana[158]
diversas naves, y entre ellas,
las naves de la conquista,
tan grandes, que de la tierra
miradas, juzgan los hombres   830
que tocan en las estrellas.
Y lo que desta ciudad
te cuento por excelencia
es, que estando sus vecinos
comiendo, desde las mesas   835
ven los copos del pescado[159]
que junto a sus puertas pescan,
que, bullendo entre las redes,

---

[155] *Ulises:* protagonista de la *Odisea,* héroe de la guerra de Troya. [156] *Ulisibona:* para explicar la etimología de Lisboa se acudía a la leyenda de Ulises como posible fundador de la ciudad. [157] Tirso alude a las *quinas* (armas) de Portugal, entregadas, según la tradición, por Cristo al que fuera primer rey de Portugal, Alonso Enríquez, en la batalla contra los almorávides en Ourique. [158] *tarazana:* astilleros. [159] *copos del pescado:* bolsa de red con que terminan varias artes de pesca. Es también la propia pesca hecha con estas artes.

              vienen a entrarse por ellas;
              y sobre todo, el llegar   840
              cada tarde a su ribera
              más de mil barcos cargados
              de mercancías diversas,
              y de sustento ordinario:
              pan, aceite, vino y leña,   845
              frutas de infinita suerte,
              nieve de Sierra de Estrella,[160]
              que por las calles a gritos,
              puesta sobre las cabezas,
              la venden. Mas, ¿qué me canso?   850
              porque es contar las estrellas
              querer contar una parte
              de la ciudad opulenta.
              Ciento y treinta mil vecinos
              tiene, gran señor, por cuenta;   855
              y por no cansarte más,
              un rey que tus manos besa.

REY.   Más estimo, don Gonzalo,
              escuchar de vuestra lengua
              esa relación sucinta,   860
              que haber visto su grandeza.
              ¿Tenéis hijos?

DON GONZALO.   Gran señor,
              una hija hermosa y bella,
              en cuyo rostro divino
              se esmeró naturaleza.   865

REY.   Pues yo os la quiero casar
              de mi mano.

DON GONZALO.   Como sea
              tu gusto, digo, señor,

---

[160] La Sierra de la Estrella es la más alta de Portugal. La nieve se traía de las montañas en invierno y se conservaba en los llamados «pozos de nieve», de manera que en verano sirviera para refrescar las bebidas. En ocasiones se vendía por las calles.

	que yo lo aceto[161] por ella.	
	Pero, ¿quién es el esposo?	870
REY.	Aunque no está en esta tierra,	
	es de Sevilla, y se llama	
	don Juan Tenorio.[(15)]	

[DON GONZALO.]   Las nuevas[162]
voy a llevar a doña Ana.

....   875

REY.   Id en buen hora, y volved,
                 Gonzalo, con la respuesta.

(*Vanse y sale* DON JUAN TENORIO *y* CATALINÓN.)

DON JUAN.   Esas dos yeguas prevén,
                 pues acomodadas[163] son.
CATALINÓN.   Aunque soy Catalinón,   880
                 soy, señor, hombre de bien;
                     que no se dijo por mí,
                 «Catalinón es el hombre»;
                 que sabes que aquese nombre
                 me asienta al revés a mí.   885
DON JUAN.   Mientras que los pescadores
                 van de regocijo y fiesta,

---

[161] *lo aceto:* lo acepto.   [162] *nuevas:* noticias.   [163] *acomodadas:* aptas, convenientes.

(15) El largo monólogo de don Gonzalo cumple una función dramática temporizadora semejante a la intervención de Tisbea. Tras la pormenorizada descripción de Lisboa —ciudad en la que residió Tirso—, el rey de España considera que debe premiar las palabras de su embajador y el éxito de su embajada casando a su hija con alguien que él considera merecedor de tal distinción, don Juan, el hijo de su camarero mayor, don Diego Tenorio. Con esta decisión, el rey convierte esta escena en clave para el desarrollo de la obra, porque don Gonzalo la acata con agrado, pero la reacción de doña Ana —a quien se describe en estos versos— es diferente. La rebeldía de doña Ana ante la decisión de su padre será uno de los desencadenantes del drama.

	tú las dos yeguas apresta;	
	que de sus pies voladores	
	sólo nuestro engaño fío.	890
CATALINÓN.	Al fin, ¿pretendes gozar	
	a Tisbea?	
DON JUAN.	Si burlar	
	es hábito antiguo mío,	
	¿qué me preguntas, sabiendo	
	mi condición?	
CATALINÓN.	Ya sé que eres	895
	castigo de las mujeres.	
DON JUAN.	Por Tisbea estoy muriendo,	
	que es buena moza.	
CATALINÓN.	¡Buen pago	
	a su hospedaje deseas!	
DON JUAN.	Necio, lo mismo hizo Eneas	900
	con la reina de Cartago.[164]	
CATALINÓN.	Los que fingís y engañáis	
	las mujeres desa suerte	
	lo pagaréis con la muerte.	
DON JUAN.	¡Qué largo me lo fiáis!	905
	Catalinón con razón	
	te llaman.	
CATALINÓN.	Tus pareceres	
	sigue, que en burlar mujeres	
	quiero ser Catalinón.[16]	

---

[164] *la reina de Cartago:* Dido, reina de Cartago, acogió al náufrago Eneas, del que se enamoró y a quien convirtió en su amante. Abandonada posteriormente, Dido se desesperó y acabó con su vida. Las alusiones a la historia de Dido y Eneas son muy frecuentes en el teatro de la época. Aquí le sirve a don Juan para justificar su acción.

(16) La acción que había quedado en suspenso, la seducción de Tisbea, es retomada tras un conveniente distanciamiento, en el que se han introducido nuevos elementos. El nombre de *Catalinón* lo utiliza en estas últimas palabras el propio lacayo como adjetivo, con connotaciones negativas. Es otro modo de describir al personaje, y el motivo se repite

	Ya viene la desdichada.	910
DON JUAN.	Vete, y las yeguas prevén.	
CATALINÓN.	¡Pobre mujer! Harto bien	
	te pagamos la posada.	

(*Vase* CATALINÓN *y sale* TISBEA.)

TISBEA.	El rato que sin ti estoy	
	estoy ajena de mí.	915
DON JUAN.	Por lo que finges ansí,	
	ningún crédito te doy.	
TISBEA.	¿Por qué?	
DON JUAN.	Porque, si me amaras,	
	mi alma favorecieras.	
TISBEA.	Tuya soy.	
DON JUAN.	Pues di, ¿qué esperas,	920
	o en qué, señora, reparas?	
TISBEA.	Reparo en que fue castigo	
	de amor el que he hallado en ti.[165]	
DON JUAN.	Si vivo, mi bien, en ti,	
	a cualquier cosa me obligo.	925

---

[165] Tisbea recuerda sus propias palabras en las que se pavoneaba de no haber sido nunca tocada por Amor y las compara con el amor fulminante que ha sentido al conocer a don Juan, que interpreta como castigo a su burla.

a lo largo del drama. El significado parece estar en consonancia con el sustantivo *catalina*, excremento. Catalinón podría significar entonces 'cagón', 'cobarde', además de las posibles dosis de afeminamiento que el mismo personaje añade con sus palabras. Catalinón no es partidario de las burlas que realiza su amo. Como sus advertencias no producen ningún resultado, recurre a advertirle de la justicia final, lo cual tampoco causa mella en su ánimo. Don Juan pronuncia por primera vez las palabras que repetirá en más ocasiones y que caracterizan su inconsciencia y su absurda confianza en que el momento de su muerte está aún muy lejano: «¡Qué largo me lo fiáis!» (v. 905). Las palabras de Catalinón se convierten en premonitorias y el uso del plural hace que se extiendan a los lectores o espectadores.

	Aunque yo sepa perder	
	en tu servicio la vida,	
	la diera por bien perdida,	
	y te prometo de ser	
	tu esposo.	
TISBEA.	Soy desigual	930

TISBEA.   Soy desigual   930
a tu ser.[166]

DON JUAN.   Amor es rey
que iguala con justa ley
la seda con el sayal.[167]

TISBEA.   Casi te quiero creer:
mas sois los hombres traidores.   935

DON JUAN.   ¿Posible es, mi bien, que ignores
mi amoroso proceder?
              Hoy prendes con tus cabellos
mi alma.

TISBEA.   Yo a ti me allano
bajo la palabra y mano   940
de esposo.

DON JUAN.   Juro, ojos bellos,
que mirando me matáis,
de ser vuestro esposo.[168]

TISBEA.   Advierte,
mi bien, que hay Dios y que hay muerte.

DON JUAN.   [*Aparte.*]
(¡Qué largo me lo fiáis!)   945
        [Ojos bellos, mientras viva,]
yo vuestro esclavo seré.
Ésta es mi mano[169] y mi fe.

---

[166] *Soy desigual / a tu ser:* Tisbea repara en que su inferioridad social no permitirá a don Juan casarse con ella.   [167] El *sayal* es una tela basta, de lana burda, frente a la suavidad de la *seda.* Don Juan quiere hacer creer a Tisbea —que por otro lado, quiere creerse el engaño— que el amor no sabe de clases (*seda, sayal*) y no han de ser éstas impedimento para su matrimonio.   [168] Don Juan jura, por segunda vez, su promesa de matrimonio.   [169] De nuevo, don Juan ofrece su mano, como cada vez que procede a un engaño.

TISBEA.	No seré en pagarte esquiva.
DON JUAN.	Ya en mí mismo no sosiego. 950
TISBEA.	Ven, y será la cabaña
	del amor que me acompaña
	tálamo[170] de nuestro fuego.
	Entre estas cañas te esconde[171]
	hasta que tenga lugar.[172] 955
DON JUAN.	¿Por dónde tengo de entrar?
TISBEA.	Ven y te diré por dónde.
DON JUAN.	Gloria al alma, mi bien, dais.
TISBEA.	Esa voluntad te obligue,
	y si no, Dios te castigue. 960
DON JUAN.	[*Aparte.*]
	(¡Qué largo me lo fiáis!) [(17)]

(*Vanse y sale* CORIDÓN, ANFRISO, BELISA *y músicos.*)

CORIDÓN.	Ea, llamad a Tisbea,
	y los zagales llamad
	para que en la soledad
	el huésped la corte vea.[173] 965
ANFRISO.	¡Tisbea, Usindra, Atandria!
	No vi cosa más cruel.
	¡Triste y mísero de aquel
	que [en] su fuego es salamandria![174]

---

[170] *tálamo:* lecho conyugal.   [171] *te esconde:* escóndete.   [172] *hasta que tenga lugar:* hasta que llegue el momento adecuado.   [173] *el huésped la corte vea:* pese a lo rústico y pobre del lugar, Coridón quiere demostrar a los recién llegados que son capaces los pescadores de organizar una bienvenida al modo que se haría en la Corte. [174] *salamandria:* salamandra. Se creía que este animal podía vivir en el fuego. Anfriso quiere así expresar que el amante, como la salamandra, vive en el fuego de su amor.

(17) Tisbea es ahora quien recuerda a don Juan la justicia divina. Se deja llevar, conscientemente, por el supuesto engaño y abandona el castigo de don Juan, en caso de ser burlada, a Dios, como ya había hecho don Pedro y ha dejado entrever Catalinón. Con Tisbea, don Juan repite su burla «¡qué largo me lo fiáis!» en dos ocasiones casi simultáneas

	Antes que el baile empecemos	970
	a Tisbea prevengamos.	
BELISA.	Vamos a llamarla.	
CORIDÓN.	Vamos.	
BELISA.	A su cabaña lleguemos.	
CORIDÓN.	¿No ves que estará ocupada	

Antes que el baile empecemos   970
a Tisbea prevengamos.
BELISA.   Vamos a llamarla.
CORIDÓN.   Vamos.
BELISA.   A su cabaña lleguemos.
CORIDÓN.   ¿No ves que estará ocupada
con los huéspedes dichosos,   975
de quien hay mil envidiosos?
ANFRISO.   Siempre es Tisbea envidiada.
BELISA.   Cantad algo mientras viene,
porque queremos bailar.
ANFRISO.   ¿Cómo podrá descansar   980
cuidado que celos tiene?

(*Cantan.*)

A pescar salió la niña
tendiendo redes;
y, en lugar de peces,
las almas prende.[18]   985

(*Sale* TISBEA.)

TISBEA.   ¡Fuego, fuego, que me quemo,
que mi cabaña se abrasa!
Repicad a fuego, amigos;

(vv. 945 y 961). En el teatro áureo, el tema condiciona la acción dramática, que establece la unidad.

(18) En el teatro del Siglo de Oro es característica común la introducción de cancioncillas populares, romances, etc., en boca de personajes de las clases populares, pescadores o campesinos. Generalmente estaban acompañadas por bailes —Belisa acaba de expresar su deseo de bailar— y servían para acallar al público a la vez que poseían un marcado carácter simbólico, porque ayudaban a comprender el desarrollo de la acción o marcar un cambio en la misma, y su función se relaciona con la que cumplía el coro en la tragedia griega. Aquí la cancioncilla hace referencia a la

que ya dan mis ojos agua.
Mi pobre edificio[175] queda   990
hecho otra Troya[176] en las llamas;
que después que faltan Troyas
quiere amor quemar cabañas.
Mas si amor abrasa peñas
con gran ira y fuerza extraña,   995
mal podrán de su rigor
reservarse humildes pajas.
¡Fuego, zagales, fuego, agua, agua!
¡Amor, clemencia, que se abrasa el alma![177]
¡Ay, choza, vil instrumento   1000
de mi deshonra y mi infamia!
¡Cueva de ladrones fiera
que mis agravios ampara!
Rayos de ardientes estrellas
en tus cabelleras caigan,   1005
porque abrasad[a]s estén,
si del viento mal peinadas.
¡Ah, falso huésped, que dejas
una mujer deshonrada!
Nube que del mar salió   1010
para anegar mis entrañas.[178]
¡Fuego, fuego, zagales, agua, agua!
¡Amor, clemencia, que se abrasa el alma!
Yo soy la que hacía siempre
de los hombres burla tanta,   1015
que siempre las que hacen burla

---

[175] *edificio:* su persona.   [176] Los amores de Paris y Helena acabaron con el incendio de la ciudad de Troya, donde Paris había llevado a la esposa de Menelao, Helena, hecho que originó la guerra.   [177] El motivo del fuego que abrasa al alma es otro tópico de la época.   [178] Alude a la llegada de don Juan a la orilla del mar.

acción anterior y marca un ritmo de desenfado que se interrumpe abruptamente por los gritos de Tisbea.

vienen a quedar burladas.[179]
Engañóme el caballero
debajo de fe y palabra
de marido, y profanó   1020
mi honestidad y mi cama.
Gozóme al fin, y yo propia
le di a su rigor las alas[180]
en dos yeguas que crié,
con que me burló y se escapa.   1025
Seguilde todos, seguilde.
Mas no importa que se vaya,
que en la presencia del rey
tengo de pedir venganza.
¡Fuego, fuego, zagales, agua, agua!   1030
¡Amor, clemencia, que se abrasa el alma!

(*Vase* TISBEA.)

CORIDÓN.   Seguid al vil caballero.
ANFRISO.   ¡Triste del que pena y calla!
             Mas, ¡vive el cielo, que en él
             me he de vengar desta ingrata!   1035
             Vamos tras ella nosotros,
             porque va desesperada,
             y podrá ser que ella vaya
             buscando mayor desgracia.
CORIDÓN.   Tal fin la soberbia tiene.   1040
             ¡Su locura y confianza
             paró en esto!

(*Dice* TISBEA *dentro:* ¡Fuego, fuego!)

---

[179] Por segunda vez, Tisbea alude a las palabras de su monólogo, en las que se jactaba de no haber sido nunca tocada por Amor y haberse burlado de los que la amaban. Sus palabras resultan premonitorias para el final de don Juan.   [180] *le di a su rigor las alas:* Tisbea siente que provocó la crueldad de don Juan al facilitarle su huida, sin saberlo, por haber criado las yeguas en las que escapan amo y lacayo.

ANFRISO.	Al mar se arroja.
CORIDÓN.	¡Tisbea, detente y para!
TISBEA.	¡Fuego, fuego, zagales, agua, agua!
	¡Amor, clemencia, que se abrasa el alma![19] 1045

~~~~~~

(19) Acaba la primera Jornada, en la que ha tenido lugar el *planteamiento* de la obra y queda preparado el *nudo*, de modo que el interés del espectador está preparado para seguir la obra con las siguientes cuestiones: la primera, la acción dramática recién terminada; Tisbea ha sido burlada y pretende pedir venganza ante el rey. Dos mujeres han sido burladas, una noble y una villana. El espectador entiende el tema de la obra: don Juan debe recibir un castigo a la altura de sus fechorías. También sabe que don Juan está ya en España y que allí se dirige el duque Octavio. Además, el rey ha prometido a la hija de don Gonzalo a don Juan, lo cual también mantiene viva la atención del espectador.

JORNADA SEGUNDA

(Sale el REY DON ALONSO, *y* DON DIEGO TENORIO, *de barba.*[1])

REY.   ¿Qué me dices?
DON DIEGO.   Señor, la verdad digo.
                       Por esta carta estoy del caso cierto,
                       que es de tu embajador, y de mi hermano:
                       halláronle en la cuadra del rey mismo
                       con una hermosa dama de palacio.[20]   1050
REY.   ¿Qué calidad?
DON DIEGO.   Señor, [es] la duquesa
                       Isabela.
REY.   ¿Isabela?

---

[1] *de barba:* la acotación señala la edad avanzada del personaje.

(20) La acción comienza de nuevo abruptamente, con la referencia a un hecho inmediatamente anterior, la lectura de la carta. Las palabras de don Diego sitúan al espectador en el tiempo y en el espacio escénico con los nuevos personajes. Don Diego resume la carta de su hermano don Pedro, embajador del rey de España en Nápoles, y alude a episodios conocidos, ocurridos en la Jornada anterior; el espectador infiere que es don Pedro quien remite la carta y los nuevos personajes pasan a formar parte de la trama. La acción transcurre en el palacio del rey en Sevilla. Don Diego informa además de la llegada de don Juan a Sevilla. La finalidad de estas primeras intervenciones es conectar la Jornada I con la II.

DON DIEGO.	Por lo menos...[2]
REY.	¡Atrevimiento temerario! ¿Y dónde ahora está?
DON DIEGO.	Señor, a vuestra alteza no he de encubrille[3] la verdad: anoche 1055 a Sevilla llegó con un criado.
REY.	Ya conocéis, Tenorio, que os estimo, y al rey informaré del caso luego,[4] casando a ese rapaz con Isabela, volviendo a su sosiego al duque Octavio, 1060 que inocente padece; y luego al punto haced que don Juan salga desterrado.
DON DIEGO.	¿Adónde, mi señor?
REY.	Mi enojo vea en el destierro de Sevilla; salga a Lebrija[5] esta noche, y agradezca 1065 sólo al merecimiento de su padre... Pero decid, don Diego, ¿qué diremos a Gonzalo de Ulloa, sin que erremos? Caséle con su hija, y no sé cómo lo puedo ahora remediar.[21]
DON DIEGO.	Pues mira, 1070

---

[2] *Por lo menos...*: Al menos...   [3] *encubrille:* encubrirle.   [4] *al rey informaré del caso luego:* el rey de Castilla explicará enseguida al de Nápoles la inocencia del duque Octavio.   [5] *Lebrija:* población cercana a Sevilla.

(21) Obsérvese la actitud del rey al conocer la traición de don Juan. A medida que el monarca pretende actuar de acuerdo con su cargo, complica más la trama; se limita únicamente a deshacer el matrimonio de don Juan con doña Ana (que era en realidad un «premio» a la lealtad de su padre, don Gonzalo) para casarle con la mujer que ha engañado, la duquesa Isabela. La actitud más contundente es el destierro de don Juan, pero será atenuado gracias a la intervención de su padre. No es capaz tampoco de tomar una decisión firme sobre la actitud que han de adoptar con don Gonzalo, y pide consejo a don Diego, que es quien toma la decisión. Tras estas escenas se esconde una dura censura contra el rey y su

gran señor, qué mandas que yo haga
que esté bien al honor de esta señora,
hija de un padre tal.

REY.   Un medio tomo
con que absolvello del enojo[6] entiendo:
mayordomo mayor[7] pretendo hacelle.   1075

(*Sale un* CRIADO.)

CRIADO.   Un caballero llega de camino,[8]
                 y dice, señor, que es el duque Octavio.
REY.   ¿El duque Octavio?
CRIADO.   Sí, señor.
REY.   Sin duda
                 que supo de don Juan el desatino,
                 y que viene, incitado a la venganza,   1080
                 a pedir que le otorgue desafío.[9]
DON DIEGO.   Gran señor, en tus heroicas manos
                 está mi vida, que mi vida propria
                 es la vida de un hijo inobediente;
                 que, aunque mozo, gallardo y valeroso,   1085
                 y le llaman los mozos de su tiempo
                 el Héctor de Sevilla,[10] porque ha hecho
                 tantas y tan extrañas mocedades;[11]

---

[6] *enojo:* agravio, ofensa.   [7] *mayordomo mayor:* jefe principal de la servidumbre de palacio. Su labor consistía en disponer la Casa Real. Estaba por encima del resto de la servidumbre y debía permanecer en contacto directo con el rey. Es, por tanto, un gran honor para don Gonzalo. El duque de Lerma con Felipe III y el conde-duque de Olivares con Felipe IV disfrutaron este cargo.   [8] *de camino:* con ropa de viaje. Al ser caballero debía calzar botas y espuelas.   [9] *a pedir que le otorgue desafío:* el rey piensa que el duque Octavio le solicitará permiso para retar a duelo a don Juan.
[10] *el Héctor de Sevilla:* Héctor, defensor de Troya, es el prototipo de valor y gallardía; sólo fue vencido por Aquiles. La comparación con don Juan sólo se justifica porque don Diego es su padre.   [11] *mocedades:* travesuras de jovenzuelo.

privado. En efecto, si don Juan no fuera hijo del privado del rey, su castigo no se limitaría a un cercano destierro a Lebrija.

la razón puede mucho. No permitas
el desafío, si es posible.

REY.   Basta.   1090
Ya os entiendo, Tenorio: honor de padre...
Entre el duque.

DON DIEGO.   Señor, dame esas plantas.[12]
¿Cómo podré pagar mercedes tantas?

(Sale el DUQUE OCTAVIO, *de camino.)*

OCTAVIO.   A esos pies, gran señor, un peregrino,
míseros y desterrado, ofrece el labio,[13]   1095
juzgando por más fácil el camino
en vuestra gran presencia.

REY.   Duque Octavio...
OCTAVIO.   Huyendo vengo el fiero desatino
de una mujer, el no pensado agravio
de un caballero, que la causa ha sido   1100
de que así a vuestros pies haya venido.

REY.   Ya, duque Octavio, sé vuestra inocencia.
Yo al rey escribiré que os restituya
en vuestro estado, puesto que[14] el ausencia[15]
que hicisteis algún daño os atribuya.[16]   1105
Yo os casaré en Sevilla con licencia
y [también] con perdón y gracia suya;
que puesto que Isabela un ángel sea,
mirando la que os doy, ha de ser fea.

Comendador mayor de Calatrava[17]   1110
es Gonzalo de Ulloa, un caballero,
a quien el moro por temor alaba,

---

[12] *dame esas plantas:* don Diego hace ademán de besar los pies al rey por la merced concedida.   [13] *ofrece el labio:* el duque Octavio pide al rey besarle los pies, como señal de vasallaje.   [14] *puesto que:* aunque.   [15] *el ausencia:* la ausencia, la huida.
[16] *algún daño os atribuya:* el haberse marchado a escondidas puede interpretarse como la huida de un culpable.   [17] *Calatrava:* la de Calatrava era una de las cuatro órdenes de caballería más importantes, junto con Santiago, Alcántara y Montesa. La obtención del hábito de alguna de las órdenes probaba la nobleza del que lo poseía.

que siempre es el cobarde lisonjero.
Éste tiene una hija, en quien bastaba
en dote la virtud, que considero,   1115
después de la verdad, que es maravilla,
y [es sol de las estrellas de Sevilla].
    Ésta quiero que sea vuestra esposa.

OCTAVIO.   Cuando [yo] este viaje le emprendiera
a sólo eso, mi suerte era dichosa,   1120
sabiendo yo que vuestro gusto fuera.

REY.   [*A* DON DIEGO.]
Hospedaréis al duque, sin que cosa
en su regalo falte.(**22**)

OCTAVIO.   Quien espera
en vos, señor, saldrá de premios lleno.
Primero Alfonso sois, siendo el onceno.[18]   1125

(*Vase el* REY, *y* DON DIEGO, *y sale* RIPIO.)

RIPIO.   ¿Qué ha sucedido?

OCTAVIO.   Que he dado
el trabajo recebido,
conforme me ha sucedido,
desde hoy por bien empleado.
    Hablé al rey, vïome y honróme,   1130
César con el César fui,

---

[18] La alabanza del duque Octavio al rey permite situar la acción de la comedia en el tiempo histórico. El drama se desarrolla en tiempos de Alfonso XI de Castilla, siglo XIV, como queda dicho.

(**22**) Rodríguez López-Vázquez señala en este pasaje que el rey ordena a don Diego, inconscientemente, que restituya las faltas de don Juan contra el duque Octavio, a través de dos interesantes motivos escénicos: primero, le ofrece su propia casa, de la que el monarca acaba de expulsar a don Juan; después, el rey le ofrece a doña Ana, destinada en un principio a don Juan. Doña Ana parece ser objeto de cambio utilizado por el rey como premio y como restitución.

	pues vi, peleé y vencí;[19]	
	y hace que esposa tome	
	de su mano, y se prefiere[20]	
	a desenojar al rey	1135
	en la fulminada ley.[21]	
RIPIO.	Con razón el nombre adquiere	
	de generoso en Castilla.	
	Al fin, ¿te llegó a ofrecer	
	mujer?	
OCTAVIO.	Sí, amigo, mujer	1140

        de Sevilla, que Sevilla
           da, si averiguallo quieres,
        porque de oíllo te asombres,
        si fuertes y airosos hombres,
        también gallardas mujeres.   1145
           Un manto tapado, un brío,[22]
        donde un puro sol se asconde,[23]
        si no es en Sevilla, ¿adónde
        se admite? El contento mío
           es tal, que ya me consuela   1150
        en mi mal.

           (Sale DON JUAN, *y* CATALINÓN.*)*

CATALINÓN.   Señor, deténte,
        que aquí está el duque, inocente
        Sagitario[24] de Isabela
           aunque mejor le di[ré]
        Capricornio.[25]

---

[19] *vi, peleé y vencí:* el duque Octavio parafrasea la famosa frase que César pronunció cuando comunicó al Senado una de sus victorias: *veni, vidi, vici* («llegué, vi, vencí»). [20] *se prefiere:* se dispone. [21] *fulminada ley:* en referencia a la orden de prisión sentenciada por el rey de Nápoles. [22] *un brío:* elegancia. [23] *asconde:* esconde. Alude a la costumbre de las mujeres del XVII de taparse el rostro. [24] *Sagitario:* delincuente condenado a castigo público. Aquí además hace referencia al arquero del zodíaco, que dispara sus flechas a Isabela. [25] *Capricornio:* el portador de cuernos en el zodíaco. Catalinón contrapone este signo zodiacal al anterior para construir un efecto cómico.

DON JUAN.	Disimula.	1155
CATALINÓN.	[*Aparte.*]	
	(Cuando le vende le adula.)	
DON JUAN.	Como a Nápoles dejé	
	por enviarme a llamar	
	con tanta priesa[26] mi rey,	
	y como su gusto es ley,	1160
	no tuve, Octavio, lugar,	
	de despedirme de vos	
	de ningún modo.	
OCTAVIO.	Por eso,	
	don Juan, amigo, os confieso	
	que hoy nos juntamos los dos	1165
	en Sevilla.[27]	
DON JUAN.	¡Quién pensara,	
	duque, que en Sevilla os viera	
	para que en ella os sirviera,	
	como yo lo desea[r]a!	
	Dejáis más, aunque es lugar	1170
	Nápoles tan excelente,	
	por Sevilla solamente	
	se puede, amigo, dejar.	
OCTAVIO.	Si en Nápoles os oyera,	
	y no en la parte que estoy,	1175
	del crédito que ahora os doy	
	sospecho que me ricra.	
	Mas, llegándola a habitar,	
	es, por lo mucho que alcanza,	
	corta cualquiera alabanza	1180
	que a Sevilla quer[á]is dar.	
	¿Quién es el que viene allí?	
DON JUAN.	El que viene es el marqués	

---

[26] *priesa*: prisa. [27] Don Juan disimula su huida de Nápoles ante el duque Octavio y afirma que se marchó de allí llamado por el rey. El duque Octavio, que entiende la mentira de su traidor, le contesta con la misma.

	de la Mota; descortés	
	es fuerza ser.[28]	
OCTAVIO.	Si de mí	1185
	algo hubiereis menester,	
	aquí espada y brazo está.[29]	
CATALINÓN.	[*Aparte.*]	
	(Y si importa, gozará	
	en su nombre otra mujer,	
	que tiene buena opinión.[30])	1190
OCTAVIO.	De vos estoy satisfecho.	
CATALINÓN.	Si fuere de algún provecho,	
	señores, Catalinón,	
	vuarcedes[31] continuamente	
	me hallarán para servillos.	1195
RIPIO.	¿Y dónde?	
CATALINÓN.	En los Pajarillos,	
	tabernáculo[32] excelente.	

(*Vase* OCTAVIO, *y* RIPIO, *y sale el* MARQUÉS DE LA MOTA.[33])

MOTA.	Todo hoy[34] os ando buscando,	
	y no os he podido hallar.	
	¿Vos, don Juan, en el lugar,[35]	1200
	y vuestro amigo penando	
	en vuestra ausencia?	
DON JUAN.	¡Por Dios,	
	amigo, que me debéis	
	esa merced que me hacéis!	
CATALINÓN.	[*Aparte.*]	
	(Como no le entreguéis vos	1205

---

[28] *descortés / es fuerza ser:* don Juan debe interrumpir su conversación con el duque Octavio para saludar al marqués de la Mota. [29] *aquí espada y brazo está:* el duque Octavio se ofrece como amigo a defender a don Juan si tal ocasión se presentara; toda la conversación entre don Juan y el duque Octavio tiene un marcado sentido irónico por ambas partes. [30] *opinión:* fama. [31] *vuarcedes:* vuestras mercedes, ustedes. [32] *tabernáculo:* taberna, lugar de recreo. [33] Le acompaña además un criado que se despide más adelante. [34] *Todo hoy:* durante todo el día. [35] *en el lugar:* en esta ciudad, en Sevilla.

moza o cosa que lo valga,
bien podéis fiaros dél;
que en cuanto en esto es cruel,
tiene condición hidalga.[36])

DON JUAN.   ¿Qué hay de Sevilla?

MOTA.   Está ya   1210
toda esta corte mudada.

DON JUAN.   ¿Mujeres?

MOTA.   Cosa juzgada.[37]

DON JUAN.   ¿Inés?

MOTA.   A Vejel se va.

DON JUAN.   Buen lugar para vivir
la que tan dama nació.   1215

MOTA.   El tiempo la desterró
a Vejel.[38]

DON JUAN.   Irá a morir.
          ¿Costanza?

MOTA.   Es lástima vella[39]
lampiña de frente y ceja.
Llámale el portugués vieja,   1220
y ella imagina que bella.

DON JUAN.   Sí, que *vella* en portugués
suena vieja en castellano.[40]
          ¿Y Teodora?

MOTA.   Este verano
se escapó del mal francés[41]   1225
[por un río de sudores],
y está tan tierna y recente[42]
que anteayer me arrojó un diente
envuelto entre muchas flores.[43]

---

[36] Catalinón subraya el contraste entre el burlador de mujeres y la condición hidalga del carácter de don Juan.   [37] *cosa juzgada:* lo de siempre, sin novedad.
[38] *Vejel:* Vejer de la Frontera, en la provincia de Cádiz. Tirso juega con el sonido *Vejel* y la *vejez* de Inés.   [39] *vella:* verla.   [40] De nuevo se burla de la vejez de las mujeres. *Velha* en portugués significa, efectivamente, *vieja.*   [41] *mal francés:* sífilis, enfermedad venérea.   [42] *recente:* joven; es irónico aquí.   [43] Mota da a entender que, al dirigirle palabras amorosas, se le cayó un diente, prueba también de su avanzada edad.

DON JUAN.	¿Julia, la del Candilejo?[44]	1230
MOTA.	Ya con sus afeites[45] lucha.	
DON JUAN.	¿Véndese siempre por trucha?	
MOTA.	Ya se da por abadejo.[46]	
DON JUAN.	El barrio de Cantarranas[47]	
	¿tiene buena población?	1235
MOTA.	Ranas[48] las más dellas son.	
DON JUAN.	¿Y viven las dos hermanas?	
MOTA.	¡Y la mona de Tolú	
	de su madre Celestina,	
	que les enseña dotrina![49]	1240
DON JUAN.	¡Oh, vieja de Bercebú![50]	
	¿Cómo la mayor está?	
MOTA.	Blanca, sin blanca ninguna;	
	tiene un santo a quien ayuna.[51]	
DON JUAN.	¿Agora en vigilias da?	1245
MOTA.	Es firme y santa mujer.	
DON JUAN.	¿Y esotra?[52]	

---

44 *Candilejo:* calle tradicional sevillana.   45 *afeites:* los cosméticos en la época.
46 *trucha* es una forma de referirse a una prostituta joven y de gran porte, mientras que el *abadejo* o *truchuela* es un pescado de baja calidad Con estas palabras, Mota descalifica a la ramera Julia, que en sus mejores tiempos cobraba mucho y ahora se ve obligada a rebajar su «precio» por haber disminuido también su calidad.   47 El antiguo barrio de Cantarranas estaba aproximadamente donde hoy se encuentra la calle Gravina; era el más bajo de la ciudad hispalense, frente al de la calle de la Sierpe, donde la prostitución era de más alto nivel.   48 *ranas:* calvas El barrio de Cantarranas está, según el marqués de la Mota, habitado por prostitutas viejas y calvas.   49 Ante la pregunta de don Juan, el marqués responde que, además de las dos hermanas, vive también la mujer que las introdujo en la prostitución, a cuya fealdad alude la expresión *mona de Tolú.* Los monos de Tolú, que vivían en el puerto colombiano del mismo nombre, eran famosos en la época.
50 *Bercebú:* Belcebú, príncipe de los demonios.   51 Don Juan y el marqués juegan con las dos acepciones de Blanca: la primera, como nombre propio y la segunda, referida a la moneda de poco valor. El marqués explica con sarcasmo que la ramera Blanca *tiene un santo a quien ayuna,* un hombre a quien le entrega una parte de lo que ella ha recibido por sus servicios, de manera que la ramera se ve obligada a pasar hambre.   52 *¿Y esotra?:* ¿y la otra? Se refiere a la hermana de Blanca.

MOTA.	Mejor principio
	tiene; no desecha ripio.[53]
DON JUAN.	¡Buen albañir quiere ser!
	Marqués, ¿qué hay de perros
	[muertos?[54] 1250
MOTA.	Yo y don Pedro de Esquivel[55]
	dimos anoche un cruel,[56]
	y esta noche tengo ciertos
	otros dos.(23)
DON JUAN.	Iré con vos,
	que también recorreré 1255
	cierto nido que dejé
	en güevos para los dos.[57]
	¿Qué hay de terrero?[58]

---

[53] *no desecha ripio:* no pierde la mínima ocasión de ejercer su oficio; le vale cualquiera, por eso don Juan la compara en el verso siguiente con un albañil, que no pierde ni un pequeño *ripio*, cascote con el que se tapan huecos.   [54] *¿qué hay de perros muertos?:* ¿qué burlas podemos realizar? Con la expresión 'perros muertos' se alude al engaño realizado a una prostituta al marcharse sin pagar sus servicios. Esta intervención de don Juan se relaciona con la tipificación de don Juan como burlador «profesional».   [55] *Don Pedro de Esquivel:* la crítica ha visto en la presencia de este personaje una alusión a una persona concreta y conocida en la época, don Pedro de Esquivel y Ugalde.   [56] *dimos anoche un cruel:* el marqués de la Mota se jacta de que, además de realizar la burla, don Pedro de Esquivel y él se divirtieron con la humillación producida en la prostituta.   [57] *cierto nido que dejé / en güevos para los dos:* don Juan enseguida decide tomar parte en nuevas burlas y, de paso, visitar una casa donde había dejado preparado algún nuevo engaño para divertirse ambos amigos.   [58] *terrero:* explanada delante de una casa, desde donde se cortejaba a las damas que vivían en su interior. Tras registrar el estado de las rameras más bajas, don Juan asciende en la escala social y pregunta por mujeres de clase más alta.

~~~~~~~~~~~~~~~~~

(23) La conversación que mantienen don Juan y el marqués de la Mota muestra la personalidad y calidad de ambos y el tipo de relación que les une. El diálogo transcurre partiendo de lo general —Sevilla, mujeres— a lo particular —Inés y el resto de las prostitutas—. A través de preguntas y respuestas, don Juan y Mota examinan y revisan el aspecto actual de diversas rameras cuyos favores han gozado, y se ríen de ellas porque ya no pueden ejercer su oficio como antes, porque el paso del tiempo ha hecho estragos en ellas. Los dos hombres son incapaces de pensar que también

MOTA.   No muero
          en terrero, que enterrado
          me tiene mayor cuidado.[59] [(24)]   1260
DON JUAN.   ¿Cómo?
MOTA.   Un imposible quiero.
DON JUAN.   Pues ¿no os corresponde?
MOTA.   Sí,
          me favorece y estima.
DON JUAN.   ¿Quién es?
MOTA.   Doña Ana, mi prima,
          que es recién llegada aquí.   1265
DON JUAN.   Pues ¿dónde ha estado?
MOTA.   En Lisboa,
          con su padre en la embajada.
DON JUAN.   ¿Es hermosa?
MOTA.   Es extremada,
          porque en doña Ana de Ulloa
            se extremó naturaleza.   1270
DON JUAN.   ¿Tan bella es esa mujer?
          ¡Vive Dios que la he de ver!
MOTA.   Veréis la mayor belleza
            que los ojos del rey ven.
DON JUAN.   Casaos, pues es extremada.   1275
MOTA.   El rey la tiene casada,
          y no se sabe con quién.
DON JUAN.   ¿No os favorece?

---

[59] *cuidado:* preocupación.

el tiempo ha pasado para ellos, y que sus pendencias juveniles resultan
ahora ridículas.

(24) El juego de palabras *en terrero/enterrado* va encaminado a pasar de
una acción —la enumeración de prostitutas— a otra, la presentación de
doña Ana, para trenzar así el nudo de la trama. La acción se complica,
y el espectador permanece atento además por la advertencia posterior
(vv. 1279-1280) de Catalinón, que no ve, como el espectador, en el interés de don Juan más que la búsqueda de una nueva burla.

MOTA.   Y me escribe.

CATALINÓN.   [*Aparte.*]
           (No prosigas, que te engaña
           el gran burlador de España.)   1280

DON JUAN.   ¿Quién tan satisfecho vive?

MOTA.   Agora estoy aguardando
           la postrer resolución.

DON JUAN.   Pues no perdáis la ocasión,
           que aquí os estoy aguardando.   1285

MOTA.   Ya vuelvo.

(*Vase el* MARQUÉS, *y el* CRIADO.)

CATALINÓN.   Señor Cuadrado,
           o señor Redondo,[60] adiós.

CRIADO.   Adiós.

DON JUAN.   Pues solos los dos,
           amigo, habemos[61] quedado;
           sígue[le el paso] al marqués,   1290
           que en el palacio se entró.

(*Vase* CATALINÓN. *Habla por una reja una* MUJER.)

MUJER.   Ce,[62] ¿a quién digo?

DON JUAN.   ¿Quién llamó?

MUJER.   Pues sois prudente y cortés,
           y su amigo, dalde luego
           al marqués este papel;   1295
           mirad que consiste en él
           de una señora el sosiego.

DON JUAN.   Digo que se lo daré;
           soy su amigo, y caballero.[63]

---

[60] *señor Redondo:* la crítica ha interpretado el chiste de Catalinón hacia el nombre del criado; el actor que representó el papel debía de tener este apellido y ser conocido por los espectadores.   [61] *habemos:* hemos.   [62] *Ce:* sonido expresado para llamar la atención de alguien.   [63] *soy su amigo, y caballero:* en estas palabras es patente el cinismo de don Juan, que se recrea en la posibilidad de una nueva burla.

MUJER.	Basta, señor forastero.[64]	1300
	Adiós. (*Vase.*)	
DON JUAN.	Ya la voz se fue.	

¿No parece encantamento
esto que agora ha pasado?
A mí el papel ha llegado
por la estafeta del viento.   1305
    Sin duda que es de la dama
que el marqués me ha encarecido;
venturoso en esto he sido.
Sevilla a voces me llama
    el Burlador, y el mayor   1310
gusto que en mí puede haber
es burlar una mujer,
y dejalla sin honor.
    ¡Vive Dios, que le he de abrir,
pues salí de la plazuela![65]   1315
Mas, ¿si hubiese otra cautela?[66]
Gana me da de reír.
    Ya está abierto el papel,
y que es suyo es cosa llana,
porque aquí firma doña Ana.   1320
Dice así: «Mi padre infiel[67]
    en secreto me ha casado,
sin poderme resistir;
no sé si podré vivir,
porque la muerte me ha dado.   1325
    Si estimas, como es razón,
mi amor y mi voluntad,
y si tu amor fue verdad,
muéstralo en esta ocasión.
    Porque veas que te estimo,   1330

---

[64] *forastero:* porque acaba de llegar a Sevilla.   [65] *salí de la plazuela:* la acción anterior, por tanto, transcurrió en la plazuela del palacio del rey en Sevilla.   [66] *cautela:* engaño. Don Juan saborea por anticipado una nueva burla.   [67] *infiel:* desleal, porque no ha consultado con ella su matrimonio.

ven esta noche a la puerta,
que estará a las once abierta,
donde tu esperanza, primo,
   goces, y el fin de tu amor.
Traerás, mi gloria, por señas   1335
de Leonorilla y las dueñas,
una capa de color.
   Mi amor todo de ti fío,
y adiós.» ¡Desdichado amante!
¿Hay suceso semejante?   1340
Ya de la burla me río.
   Gozaréla, ¡vive Dios!,
con el engaño y cautela
que en Nápoles a Isabela.[68] [(25)]

(*Sale* CATALINÓN.)

CATALINÓN.	Ya el marqués viene.	
DON JUAN.	Los dos	1345

   aquesta noche tenemos
que hacer.

---

[68] *que en Nápoles a Isabela:* es decir, burlará a doña Ana fingiendo ser el marqués de la Mota, como en Nápoles se hizo pasar por el duque Octavio. Se sugiere con estas palabras un comienzo semejante para la primera escena.

(25) La mujer que entrega el papel a don Juan ha estado presente, quizás a escondidas, durante la escena anterior y ha oído que don Juan acaba de llegar a Sevilla. La mujer trae un papel demasiado comprometedor para doña Ana como para entregárselo a don Juan, precisamente la persona menos adecuada, y más cuando el marqués ha advertido que regresará enseguida. Tirso fuerza en cierto modo la acción para que una nueva burla —la definitiva— pueda llevarse a cabo. Don Juan se entusiasma ante la próxima burla y se envanece por la fama que ésta le aportará. Por otro lado, Tirso proporciona ahora al espectador a través de la carta de doña Ana todos los detalles de la nueva burla: el tiempo, el espacio y el modo. Ninguno de estos pormenores aparece en los engaños anteriores.

CATALINÓN.   ¿Hay engaño nuevo?
DON JUAN.   Extremado.
CATALINÓN.   No lo apruebo;
tú pretendes que escapemos
una vez, señor, burlados;   1350
que el que vive de burlar
burlado habrá de escapar,
[pagando tantos pecados]
de una vez.
DON JUAN.   ¿Predicador
te vuelves, impertinente?   1355
CATALINÓN.   La razón hace al valiente.
DON JUAN.   Y al cobarde hace el temor.
El que se pone a servir
voluntad no ha de tener,
y todo ha de ser hacer,   1360
y nada ha de ser decir.
Sirviendo, jugando estás,
y si quieres ganar luego,
haz siempre, porque en el juego
quien más hace gana más.   1365
CATALINÓN.   [Y] también quien hace y dice
pierde por la mayor parte.
DON JUAN.   Esta vez quiero avisarte,
porque otra vez no te avise.
CATALINÓN.   Digo que de aquí adelante   1370
lo que me mandas haré,
y a tu lado forzaré
un [tigre y] un elefante.
Guárdese de mí un prior,
que si me mandas que calle   1375
y le fuerce, he de forzalle
sin réplica, mi señor.(26)

⁓⁓⁓⁓⁓⁓⁓⁓⁓⁓⁓⁓⁓⁓⁓⁓⁓⁓⁓⁓⁓⁓⁓⁓⁓⁓⁓⁓⁓⁓⁓

(26) El personaje de Catalinón se desdobla en estas palabras de gracioso a consejero de don Juan. El criado recrimina las acciones de su amo

(*Sale el* MARQUÉS DE LA MOTA.)

DON JUAN.	(Calla, que viene el marqués.)
CATALINÓN.	(Pues ¿ha de ser el forzado?)
DON JUAN.	Para vos, marqués, me han dado 1380
	un recaudo[69] harto cortés
	por esa reja, sin ver
	el que me lo daba allí;
	sólo en la voz conocí
	que me lo daba mujer. 1385
	Dícete, al fin, que a las doce[70]
	vayas secreto a la puerta,
	—que estará a las once abierta—,
	donde tu esperanza goce
	la posesión de tu amor, 1390
	y que llevases por señas
	de Leonorilla y las dueñas,
	una capa de color.
MOTA.	¿Qué dices?
DON JUAN.	Que este recaudo
	de una ventana me dieron, 1395
	sin ver quién.
MOTA.	Con él pusieron
	sosiego en tanto cuidado.
	¡Ay amigo! Sólo en ti
	mi esperanza renaciera.
	¡Dame esos [pies]!

---

[69] *recaudo:* recado, el mensaje de doña Ana.   [70] *a las doce:* don Juan retrasa en una hora la cita de Mota con doña Ana para que él pueda actuar. La intención de la burla es doble y va dirigida tanto a la mujer como a su amigo.

y le advierte del trágico final que tendrán sus actos. Los presentimientos de Catalinón no son vanos. Don Juan utiliza el léxico del juego para recordar a su criado su condición y le reprende por sus advertencias, que considera exceso de confianza. Catalinón acepta las palabras de don Juan y conviene en no abandonar su papel de lacayo por el de consejero.

DON JUAN.	Considera	1400
	que no está tu prima en mí.	
	Eres tú quien ha de ser	
	quien la tiene de gozar,[71]	
	¿y me llegas a abrazar	
	los pies?[72]	
MOTA.	Es tal el placer,	1405
	que me ha sacado de mí.	
	¡Oh, sol, apresura el paso!	
DON JUAN.	¡Ya el sol camina al ocaso![73]	
MOTA.	Vamos, amigos, de aquí,	
	y de noche nos pondremos.[74]	1410
	¡Loco voy!	
DON JUAN.	[*Aparte.*] (Bien se conoce;[75]	
	mas yo bien sé que a las doce	
	harás mayores extremos.)	
MOTA.	¡Ay, prima del alma, prima,	
	que quieres premiar mi fe!	1415
CATALINÓN.	[*Aparte.*]	
	¡Vive Cristo, que no dé	
	una blanca por su prima![76]	

(*Vase el* MARQUÉS, *y sale* DON DIEGO.)

DON DIEGO.	¡Don Juan!	
CATALINÓN.	Tu padre te llama.	
DON JUAN.	¿Qué manda vueseñoría?	

---

[71] *tiene de:* tiene que.   [72] El actor ha de llevar a cabo esta acotación interna: Mota no controla su emoción y abraza a don Juan desmesuradamente.   [73] *¡Ya el sol camina al ocaso!:* don Juan se ríe descaradamente del marqués de la Mota. La ambigüedad de sus palabras es un guiño al espectador, que entiende el doble significado: parece que anima a su amigo al decirle que la noche está llegando, pero también son estas palabras el anuncio de la burla preparada.   [74] *de noche nos pondremos:* se vestirán con ropa de noche. En el Siglo de Oro los caballeros vestían de negro durante el día, y por la noche los galanes se ataviaban con prendas de color.   [75] *se conoce:* se advierte.   [76] *blanca:* moneda de poco valor. Hoy aún se dice «estar sin blanca». Catalinón expresa de este modo que doña Ana está perdida, pues la intención de don Juan es seducirla.

DON DIEGO.	Verte más cuerdo quería,	1420
	más bueno y con mejor fama.	
	¿Es posible que procuras	
	todas las horas mi muerte?	
DON JUAN.	¿Por qué vienes desa suerte?	
DON DIEGO.	Por tu trato y tus locuras.	1425

Al fin el rey me ha mandado
que te eche de la ciudad,
porque está de una maldad
con justa causa indignado.

Que, aunque me lo has encubierto, 1430
ya en Sevilla el rey lo sabe,
cuyo delito es tan grave,
que a decírtelo no acierto.

¿En el palacio real
traición, y con un amigo? 1435
Traidor, Dios te dé el castigo
que pide delito igual.

Mira que, aunque al parecer
Dios te consiente y aguarda,
su castigo no se tarda, 1440
y que castigo ha de haber
para los que profanáis
su nombre, que es juez fuerte
Dios en la muerte.

DON JUAN.	¿En la muerte?	
	¿Tan largo me lo fiáis?	1445
	De aquí allá hay gran jornada.[77]	
DON DIEGO.	Breve te ha de parecer.	
DON JUAN.	Y la[78] que tengo de hacer,	
	pues a su alteza le agrada,	
	agora, ¿es larga también?	1450
DON DIEGO.	Hasta que el injusto agravio	

---

[77] *jornada:* viaje, distancia.   [78] *la:* se refiere a la jornada, al viaje que debe hacer como castigo impuesto por el rey.

	satisfaga el duque Octavio, y apaciguados estén en Nápoles de Isabela los sucesos que has causado, en Lebrija retirado por tu traición y cautela, quiere el rey que estés agora, pena a tu maldad ligera.	1455
CATALINÓN.	(*Aparte.*) (Si el caso también supiera de la pobre pescadora, más se enojara el buen viejo.)	1460
DON DIEGO.	Pues no te vence castigo con cuanto hago y cuanto digo, a Dios tu castigo dejo.[27] (*Vase.*)	1465
CATALINÓN.	Fuese el viejo enternecido.	
DON JUAN.	Luego las lágrimas copia,[79] condición de viejo propria.[80] Vamos, pues ha anochecido, a buscar al marqués.	
CATALINÓN.	Vamos, y al fin gozarás su dama.	1470
DON JUAN.	Ha de ser burla de fama.	
CATALINÓN.	Ruego al cielo que salgamos della en paz.	

---

[79] *Luego las lágrimas copia:* enseguida se echa a llorar.   [80] *propria:* propia.

(27) Una visión superficial de don Diego le muestra como el contrapunto de su hijo. Valeroso, leal al rey, amonesta las acciones de don Juan desde la primera que conocemos, la traición en Nápoles. Obsérvese que don Diego censura sólo dos hechos: la traición al amigo y la falta de respeto al rey. Nada dice de la burla a Isabela. Advierte una y otra vez a su hijo del mal fin de sus acciones, pero ante su impasibilidad, don Diego se reconoce impotente y abandona en manos de algún poder superior el castigo que merece don Juan. Es lugar común en la literatura del Siglo de Oro el castigo divino con la muerte violenta del que ha cometido la falta.

DON JUAN.	¡Catalinón, en fin!
CATALINÓN.	Y tú, señor, eres 1475
	langosta de las mujeres,[81]
	y con público pregón,
	porque de ti se guardara,
	cuando a noticia viniera
	de la que doncella fuera, 1480
	fuera bien se pregonara:
	«Guárdense todos de un hombre
	que a las mujeres engaña,
	y es el burlador de España.»
DON JUAN.	Tú me has dado gentil nombre.[82] 1485

(*Sale el* MARQUÉS *de noche, con músicos, y pasea el tablado*[83] *y se entran cantando.*)

MÚSICOS.	*El que un bien gozar espera,*
	cuanto espera desespera.
DON JUAN.	¿Qué es esto?
CATALINÓN.	Música es.
MOTA.	Parece que habla conmigo
	el poeta. ¿Quién va?
DON JUAN.	Amigo. 1490
MOTA.	¿Es don Juan?
DON JUAN.	¿Es el marqués?
MOTA.	¿Quién pu[e]de ser sino yo?
DON JUAN.	Luego que la capa vi,
	que érades[84] vos conocí.[85]
MOTA.	Cantad, pues don Juan llegó. 1495

---

[81] *langosta de las mujeres:* con doble sentido, el de 'plaga' y 'castigo'. En la jornada anterior ya Catalinón le había denominado «castigo de las mujeres» (v. 896).
[82] *Tú me has dado gentil nombre:* a don Juan le agrada el apelativo propuesto por su criado, que se extiende de *burlador de Sevilla* (v. 1310) a «burlador de España».
[83] *pasea el tablado:* camina por el escenario.   [84] *érades:* arcaísmo, 'erais'.   [85] *conocí:* supe.

[MÚSICOS.]	(*Cantan.*) *El que un bien gozar espera*	
	cuanto espera desespera.	
DON JUAN.	¿Qué casa es la que miráis?[86]	
MOTA.	De don Gonzalo de Ulloa.	
DON JUAN.	¿Dónde iremos?	
MOTA.	A Lisboa.	1500
DON JUAN.	¿Cómo, si en Sevilla estáis?	
MOTA.	Pues ¿aqueso os maravilla?	
	¿No vive, con gusto igual	
	lo peor de Portugal	
	en lo mejor de Castilla?[87]	1505
DON JUAN.	¿Dónde viven?	
MOTA.	En la calle	
	de la Sierpe, donde ves	
	[a Adán] vuelto en portugués;	
	que en aqueste amargo valle	
	con bocados solicitan	1510
	mil Evas que, aunque [dorados],	
	en efeto, son [bocados]	
	con que el dinero nos quitan.[88]	
CATALINÓN.	Ir de noche no quisiera	
	por esa calle cruel,	1515
	pues lo que de día es miel	
	entonces lo dan en cera.[89]	
	Una noche, por mi mal,	
	la vi sobre mí [vertida],	

---

[86] *¿Qué casa es la que miráis?*: acotación interna que señala la actitud del marqués de la Mota.   [87] Don Juan alude a las prostitutas portuguesas que se habían establecido en Sevilla. Andalucía formaba parte del reino de Castilla.   [88] Mota responde a don Juan que irán a la calle de la Sierpe, donde viven prostitutas portuguesas (*lo peor de Portugal*). El pasaje es una metáfora con elementos bíblicos. La calle de la Sierpe alude a la serpiente y al Paraíso (*aqueste amargo valle*), y allí se encuentran las prostitutas que *con bocados solicitan* a los hombres, como Eva en el Paraíso al ofrecer la manzana a Adán, pero en realidad (*en efeto*) es una petición interesada.   [89] *cera*: excrementos. Catalinón contrapone la dulzura del amor, la *miel*, con los excrementos que al caer la noche se arrojaban por las ventanas al grito de «¡agua va!».

	y hallé que era corrompida	1520
	la cera de Portugal.	
DON JUAN.	Mientras a la calle vais	
	yo dar un perro[90] quisiera.	
MOTA.	Pues cerca de aquí me espera	
	un bravo.[91]	
DON JUAN.	Si me dejáis,	1525
	señor marqués, vos veréis	
	cómo de mí no se escapa.	
MOTA.	Vamos, y poneos mi capa,	
	para que mejor lo deis.	
DON JUAN.	Bien habéis dicho; venid,	1530
	y me enseñaréis la casa.	
MOTA.	Mientras el suceso pasa,	
	la voz y el habla fingid.	
	¿Veis aquella celosía?	
DON JUAN.	Ya la veo.	
MOTA.	Pues llegad,	1535
	y decid: «Beatri[z]» y entrad.	
DON JUAN.	¿Qué mujer?	
MOTA.	Rosada y fría.	
CATALINÓN.	Será mujer cantimplora.[92]	
MOTA.	En Gradas[93] os aguardamos.	
DON JUAN.	Adios, marqués.	
CATALINÓN.	¿Dónde vamos?[94]	1540
DON JUAN.	Calla, necio, calla agora;	
	adonde la burla mía	
	ejecute.	
CATALINÓN.	No se escapa	
	nadie de ti.	

---

[90] *dar un perro:* burlar a un prostituta marchándose sin pagar. Véase nota 54.
[91] *bravo:* un *perro* bravo, un engaño más difícil y, para los dos amigos, de más valor.
[92] *mujer cantimplora:* Catalinón la define así por las características que ha señalado el marqués. Las vasijas en las que se enfriaba el agua con nieve eran de arcilla rosada.
[93] *Gradas:* calle sevillana, cercana a la catedral, lugar de paseos y de citas.   [94] *¿Dónde vamos?:* Catalinón pregunta sorprendido porque don Juan ha tomado una dirección distinta a la que le ha señalado el marqués.

DON JUAN.	El trueque adoro.[95]	
CATALINÓN.	Echaste la capa al toro.	1545
DON JUAN.	No, el toro me echó la capa.[96]	

[*Vanse* DON JUAN *y* CATALINÓN.]

MOTA.	La mujer ha de pensar que soy él.[(28)]	
MÚSICOS.	¡Qué gentil perro!	
MOTA.	Esto es acertar por yerro.	
[MÚSICOS	Todo este mundo es errar.]	1550

(*Cantan.*) *El que un bien gozar espera*
cuanto espera desespera.

(*Vanse, y dice* DOÑA ANA *dentro:*)

DOÑA ANA.	¡Falso, no eres el marqués, que me has engañado!	
DON JUAN.	Digo que lo soy.	

---

[95] *el trueque adoro:* don Juan está encantado con el cambio de la cita con la prostituta por la burla proyectada al marqués a través de doña Ana.   [96] *el toro me echó la capa:* Catalinón se sirve del léxico taurino para aludir al engaño. Don Juan recoge la frase y la adapta a la situación para provocar el chiste que identifica al toro con el marqués.

~~~~~~

(28) La estrategia de don Juan para tender la trampa a su amigo se basa en hacerle creer que ambos van a burlarse de la prostituta Beatriz. El marqués cede sin remilgos al burlador su cita con la ramera y colabora con él al prestarle su propia capa; Mota cree estar burlando a la prostituta, pero lo que realmente hace es facilitar su propia desgracia. El patetismo es aún más explícito cuando el marqués exclama: «La mujer ha de pensar / que soy él» (vv. 1547-1548), predicción que efectivamente se cumple, pero no con la mujer que él cree. La estrategia para burlar al amigo es lo que realmente envanece a don Juan, por eso ésta ha de ser *burla de fama* (v. 1472).

DOÑA ANA.   ¡Fiero enemigo,   1555
          mientes, mientes!(29)

          (*Sale* DON GONZALO *con la espada desnuda.*[97])

DON GONZALO.   La voz es
          de doña Ana la que siento.
DOÑA ANA.   ¿No hay quien mate este traidor,
          homicida de mi honor?
DON GONZALO.   ¿Hay tan grande atrevimiento?   1560
          Muerto honor, dijo, ¡ay de mí!,[98]
          y es su lengua tan liviana
          que aquí sirve de campana.
DOÑA ANA.   ¡Matalde!

          (*Sale* DON JUAN, *y* CATALINÓN, *con las espadas desnudas.*)

DON JUAN.   ¿Quién está aquí?
DON GONZALO.   La barbacana[99] caída   1565
          de la torre de mi honor
          echaste en tierra, traidor,
          donde era alcaide[100] la vida.

---

[97] *con la espada desnuda:* la acotación indica que don Gonzalo irrumpe en escena dispuesto a todo, con la espada fuera de la funda y en alto.   [98] Don Gonzalo sabe que tendrá que defender con sangre el honor mancillado. Su actitud es semejante a la del duque Octavio en la Jornada I.   [99] *barbacana:* fortificación pequeña que servía de protección del foso, colocada delante de las murallas.   [100] *alcaide:* el encargado de la defensa de la fortaleza. La vida es el guardián que ha de defender la torre del honor. Don Juan ha destruido el primer elemento de su honor —su hija— y don Gonzalo sólo podrá restaurarlo arriesgando su vida.

(29) De nuevo son las voces de la mujer las que precipitan la acción. Esta escena es la clave en el paso de un tema —el burlador— al otro gran tema de la obra, especificado en el título —el convidado de piedra—. En contraste con la importancia de la escena, doña Ana no aparece en ningún momento; el personaje es, simbólicamente, sólo una voz, pese a haber sido descrita en boca de otros personajes: don Gonzalo y el marqués de la Mota.

DON JUAN.	¡Déjame pasar!
DON GONZALO.	¿Pasar?
	¡Por la punta desta espada! 1570
DON JUAN.	Morirás.
DON GONZALO.	No importa nada.
DON JUAN.	Mira que te he de matar.
DON GONZALO.	¡Muere, traidor!
DON JUAN.	¡Desta suerte
	muero!
CATALINÓN.	Si escapo desta,
	no más burlas, no más fiesta. 1575
DON GONZALO.	¡Ay, que me has dado la muerte!
DON JUAN.	Tú la vida te quitaste.[101]
DON GONZALO.	¿De qué la vida servía?
DON JUAN.	Huyamos.

(*Vase* DON JUAN, *y* CATALINÓN.)

DON GONZALO.	La sangre fría
	con el furor aumentaste.[102] 1580
	Muerto soy; no hay bien que aguarde.
	¡Seguiráte mi furor,
	que es traidor, y el que es traidor
	es traidor porque es cobarde!

(*Entran muerto a* DON GONZALO, *y sale el* MARQUÉS
DE LA MOTA, [CRIADOS] *y* MÚSICOS.)

MOTA.	Presto las doce darán, 1585
	y mucho don Juan se tarda.
	¡Fiera prisión del que aguarda!

(*Sale* DON JUAN, *y* CATALINÓN.)

---

[101] *Tú la vida te quitaste:* don Juan culpa de la muerte de don Gonzalo a él mismo, por no haberle dejado huir. El dinamismo del diálogo se exige por la acción.
[102] La estocada de don Juan renueva la furia y el valor en don Gonzalo y el comendador tiene fuerzas para lanzar su terrible amenaza justo antes de morir.

DON JUAN.	¿Es el marqués?
MOTA.	¿Es don Juan?
DON JUAN.	Yo soy; tomad vuestra capa.
MOTA.	¿Y el perro?[103]
DON JUAN.	Funesto ha sido; 1590
	al fin, marqués, muerto ha habido.
CATALINÓN.	Señor, del muerto te escapa.[104]
MOTA.	¿Búrlaste, amigo? ¿Qué haré?
CATALINÓN.	(*Aparte.*)
	(Y a vos os ha burlado.)
DON JUAN.	Cara la burla ha costado. 1595
MOTA.	Yo, don Juan, lo pagaré,
	porque estará la mujer
	quejosa de mí.
[DON JUAN.	Las doce
	darán.]
MOTA.	Como mi bien goce,
	nunca llegue a amanecer. 1600
DON JUAN.	Adiós, marqués.
[CATALINÓN.	Muy buen lance
	el desdichado hallará.]
DON JUAN.	Huyamos.
CATALINÓN.	Señor, no habrá
	águila que a mí me alcance. (*Vanse.*)
MOTA.	Vosotros os podéis ir, 1605
	[todos a casa, que yo
	he de ir solo.
CRIADOS.	Dios crió
	las noches para dormir.]

(*Vanse, y queda el* MARQUÉS DE LA MOTA.)

(*Dentro:*)

¿Viose desdicha mayor,
y viose mayor desgracia? 1610

---

[103] *¿Y el perro?*: ¿qué ha pasado con la burla?   [104] *te escapa:* escápate.

MOTA.   ¡Válgame Dios! Voces siento
                   en la plaza del Alcázar.
                   ¿Qué puede ser a estas horas?
                   Un yelo el pecho me arraiga.
                   Desde aquí parece todo   1615
                   una Troya que se abrasa,
                   porque tantas luces juntas
                   hacen gigantes de llamas.
                   Un grande escuadrón de hachas[105]
                   se acerca a mí; ¿por qué anda   1620
                   el fuego emulando estrellas,
                   dividiéndose en escuadras?[106]
                   Quiero saber la ocasión.[107]

(*Sale* DON DIEGO TENORIO *y la guarda, con hachas.*)

DON DIEGO.   ¿Qué gente?[108]
[MOTA.]   Gente que aguarda
                   saber de aqueste ruido   1625
                   el alboroto y la causa.
DON DIEGO.   ¡Prendeldo!
MOTA.   ¿Prenderme a mí?
DON DIEGO.   Volved la espada a la vaina,
                   que la mayor valentía
                   es no tratar de las armas.   1630
MOTA.   ¿Cómo al marqués de la Mota
                   hablan ansí?
DON DIEGO.   Dad la espada,
                   que el rey os manda prender.
MOTA.   ¡Vive Dios!

(*Sale el* REY, *y acompañamiento.*)

---

[105] *hachas:* antorchas.   [106] Las palabras de Mota sustituyen la representación de una escena que no se puede llevar a cabo, por su complejidad, en el teatro áureo. [107] *ocasión:* causa.   [108] *¿Qué gente?:* ¿quién es?

REY.	En toda España
	no ha de caber, ni tampoco 1635
	en Italia, si va a Italia.
DON DIEGO.	Señor, aquí está el marqués.
MOTA.	[¿Vuestra alteza] a mí me manda
	prender?
REY.	Levalde[109] y ponelde
	la cabeza en una escarpia.[110] 1640
	¿En mi presencia te pones?
MOTA.	¡Ah, glorias de amor tiranas,
	siempre en el pasar ligeras,
	como en el vivir pesadas!
	Bien dijo un sabio que había 1645
	entre la boca y la taza
	peligro; mas el enojo
	del rey me admira y espanta.
	No sé por lo que voy preso.[111]
DON DIEGO.	¿Quién mejor sabrá la causa 1650
	que vueseñoría?
MOTA.	¿Yo?
DON DIEGO.	¡Vamos!
MOTA.	¡Confusión extraña!
REY.	Fulmínesele[112] el proceso
	al marqués luego, y mañana
	le cortarán la cabeza. 1655
	Y al Comendador, con cuanta
	solenidad[113] y grandeza
	se da a las personas sacras
	y reales, el entierro[114]
	se haga; en bronce y piedras varias 1660
	un sepulcro, con un bulto[115]

---

[109] *Levalde:* llevadle.   [110] *escarpia:* clavo grande en cuyo extremo sale hacia arriba una punta para sujetar lo que en ella se pone.   [111] *No sé por lo que voy preso:* el marqués de la Mota cree comprender lo que está ocurriendo culpando, sin saber exactamente por qué, a doña Ana. Lo que no alcanza a entender es la actitud del rey. [112] *Fulmínesele:* aplíquesele. [113] *solenidad:* solemnidad. [114] *entierro:* monumento funerario. [115] *bulto:* estatua.

le ofrezcan, donde, en mosaicas
labores, góticas letras
den lenguas a sus venganzas.[116]
Y entierro, bulto y sepulcro,   1665
quiero que a mi costa se haga.
¿Dónde doña Ana se fue?

DON DIEGO.   Fuese al sagrado doña Ana
de mi señora la reina.

REY.   Ha de sentir esta falta   1670
Castilla; tal capitán
ha de llorar Calatrava.

(*Vanse todos. Sale* BATRICIO, *desposado con* AMINTA; GASENO,
viejo; BELISA, *y* PASTORES MÚSICOS.)

(*Cantan.*)

Lindo sale el sol de abril,
con trébol y toronjil;
y, aunque le sirve de estrella,   1675
Aminta sale más bella.

BATRICIO.   Sobre esta alfombra florida,
adonde en campos de escarcha
el sol sin aliento marcha
con su luz recién nacida,   1680
os sentad,[117] pues nos convida
al tálamo[118] el sitio hermoso.

AMINTA.   Cantalde a mi dulce esposo
favores de mil en mil.

(*Cantan.*)

---

[116] *mosaicas / labores, góticas letras / den lenguas a sus venganzas:* el panteón estará
adornado con piedras de varios colores que formarán una imagen que, junto con la
leyenda escrita en letras de gran tamaño, explicará las causas de su muerte.   [117] *os
sentad:* sentaos.   [118] *tálamo:* aquí, lugar donde los novios tienen un espacio preemi-
nente en la celebración de sus bodas.

1685

Lindo sale el sol de abril,
con trébol y toronjil;
y, aunque le sirve de estrella,
Aminta sale más bella.

[GASENO.   Ya, Batricio, os he entregado
el alma y ser en mi Aminta.   1690

BATRICIO.   Por eso se baña y pinta
de más colores el prado.
          Con deseos la he ganado,
con obras la he merecido.

MÚSICOS.   Tal mujer y tal marido   1695
vivan juntos años mil.

(*Cantan.*)

Lindo sale el sol de abril,
con trébol y toronjil;
y, aunque le sirve de estrella,
Aminta sale más bella.   1700

BATRICIO.   No sale así el sol de oriente
como el sol que al alba sale,
que no hay sol que al sol se iguale
de sus niñas y su frente,
          a este sol claro y luciente   1705
que eclipsa al sol su arrebol;
y así cantalde a mi sol
motetes[119] de mil en mil.]

(*Cantan.*)

Lindo sale el sol de abril,
con trébol y toronjil;   1710
y, aunque le sirve de estrella,
Aminta sale más bella.

---

[119] *motetes:* composición breve para cantar en las iglesias, con argumento de las
Escrituras; aquí, 'canción breve'.

AMINTA.	Batricio, yo lo agradezco;
	falso y lisonjero estás,
	mas, si tus rayos me das, 1715
	por ti ser luna merezco,
	[tú eres el sol por quien crezco]
	después de salir menguante.
	Para que el alba te cante
	la salva[120] en tono sutil, 1720

(*Cantan.*)

Lindo sale el sol de abril,
con trébol y toronjil;
y, aunque le sirve de estrella,
Aminta sale más bella.

(*Sale* CATALINÓN, *de camino.*)

CATALINÓN.	Señores, el desposorio 1725
	huéspedes ha de tener.
GASENO.	A todo el mundo ha de ser
	este contento notorio.
	¿Quien viene?
CATALINÓN.	Don Juan Tenorio.
GASENO.	¿El viejo?
CATALINÓN.	No ese don Juan. 1730
BELISA.	Será su hijo galán.
BATRICIO.	Téngolo por mal agüero,
	que galán y caballero
	quitan gusto y celos dan.
	Pues ¿quién noticia les dio 1735
	de mis bodas?
CATALINÓN.	De camino
	pasa a Lebrija.

---

[120] *cante / la salva:* alude a la costumbre de recibir a alguien disparando cañonazos. En general, se refiere a una forma de saludo y bienvenida.

BATRICIO.	Imagino
	que el demonio le envió.
	Mas, ¿de qué me aflijo yo?
	Vengan a mis dulces bodas 1740
	del mundo las gentes todas.
	Mas, con todo, un caballero
	en mis bodas, ¡mal agüero![121]
GASENO.	Venga el coloso de Rodas,[122]
	venga el Papa, el Preste Juan,[123] 1745
	y don Alonso el Onceno
	con su Corte, que en Gaseno
	ánimo y valor verán.
	Montes en casa hay de pan,
	Guadalquivides[124] de vino, 1750
	Babilonias de tocino,
	y entre ejércitos cobardes
	de aves, para que las cardes,
	el pollo y el palomino.[125]
	Venga tan gran caballero 1755
	a ser hoy en Dos Hermanas[126]
	honra destas viejas canas.[(30)]

---

[121] *¡mal agüero!:* los malos presentimientos de Batricio se repiten continuamente. El labrador teme el abuso de un personaje de clase superior.   [122] *coloso de Rodas:* la famosa estatua gigantesca que representaba a Helios. Se consideraba una de las siete maravillas del mundo.   [123] *Preste Juan:* emperador legendario de Asia y África. Se identificaba con un personaje capaz de realizar cualquier maravilla.   [124] *Guadalquivides:* juega con el nombre del río *Guadalquivir* y las *vides* de las que se obtiene el vino. [125] Las hipérboles de Gaseno están destinadas a mostrar a los recién llegados las excelencias de un banquete de bodas propio de cristianos viejos: el tocino se alza entre los ejércitos de aves.   [126] *Dos Hermanas:* pueblo cercano a Sevilla, de camino hacia Lebrija.

~~~~~~

(30) Gaseno, en contraposición a su yerno Batricio, se siente honrado por la presencia de nobles en la boda de su hija. En Gaseno se manifiesta el orgullo del villano que posee la jactancia de cristiano viejo, que aquí se representa con tintes ridículos. Tras su expulsión de la Península en 1492, muchos judíos se convirtieron al cristianismo para no abandonar el país

BELISA.	¡El hijo del camarero
	mayor!
BATRICIO.	[*Aparte.*] (Todo es mal agüero
	para mí, pues le han de dar 1760
	junto a mi esposa lugar.[127]
	Aún no gozo, y ya los cielos
	me están condenando a celos.
	Amor, sufrir y callar.)

(*Sale* DON JUAN TENORIO.)

DON JUAN.	Pasando acaso[128] he sabido 1765
	que hay bodas en el lugar,
	y dellas quise gozar,
	pues tan venturoso he sido.
GASENO.	Vueseñoría ha venido
	a honrallas y engrandecellas. 1770
BATRICIO.	[*Aparte.*]
	(Yo, que soy el dueño dellas,
	digo entre mí que vengáis
	en hora mala.)
GASENO.	¿No dais
	lugar a este caballero?
DON JUAN.	Con vuestra licencia quiero 1775
	sentarme aquí.

---

[127] Por ser don Juan un noble merece un sitio destacado en el banquete.
[128] *acaso:* casualmente.

donde habían nacido. Se llamaron *cristianos nuevos,* frente a los *cristianos viejos,* descendientes de cristianos que impusieron la limpieza de sangre como condición para acceder a determinados cargos públicos. Los conflictos entre ambas castas fueron constantes durante el Siglo de Oro. Existía la creencia de que determinadas clases sociales eran de origen judío, como los comerciantes, mientras que el pueblo llano siempre consideró que ser labrador villano era característica de los cristianos viejos, puesto que los judíos no se encargaron de las labores del campo.

(Siéntase junto a la novia.)

BATRICIO.	Si os sentáis delante de mí, señor, seréis de aquesa manera el novio.
DON JUAN.	Cuando[129] lo fuera, no escogiera lo peor.

1780

GASENO.	¡Que es el novio!
DON JUAN.	De mi error y ignorancia [perdón pido].
CATALINÓN.	[*Aparte.*] (¡Desventurado marido!)
DON JUAN.	[*Aparte, a* CATALINÓN.] (Corrido está.)
CATALINÓN.	[*Aparte.*] (No lo ignoro;[130] mas, si tiene de ser toro, ¿qué mucho que esté corrido?[131] No daré por su mujer, ni por su honor, un cornado.[132] ¡Desdichado tú, que has dado en manos de Lucifer!)

1785

1790

DON JUAN.	¿Posible es que vengo a ser, señora, tan venturoso? Envidia tengo al esposo.
AMINTA.	Parecéisme lisonjero.
BATRICIO.	[*Aparte.*] (Bien dije que es mal agüero en bodas un poderoso.)
GASENO.	Ea, vamos a almorzar,

1795

---

129 *Cuando:* en caso de que.   130 *No lo ignoro:* no lo dudo.   131 *¿qué mucho que esté corrido?:* Catalinón, que conoce perfectamente a su amo, sospecha que don Juan ha visto en estas bodas una nueva ocasión de burla. El doble sentido del comentario de don Juan sobre Gaseno, *corrido (avergonzado) está*, le provoca de nuevo el chiste relacionado con los toros y el cornudo que Batricio está condenado a ser.   132 *cornado:* moneda de cobre pequeña y de escaso valor. Catalinón juega con la homofonía con *cornudo.*

porque pueda descansar
un rato su señoría.

(*Tómale* DON JUAN *la mano a la novia.*)

DON JUAN.	¿Por qué la escondéis?	
AMINTA.	Es mía.	1800
GASENO.	¡Vamos!	
BELISA.	Volved a cantar.	
DON JUAN.	¿Qué dices tú?	
CATALINÓN.	¿Yo? Que temo	
	muerte vil destos villanos.	
DON JUAN.	Buenos ojos, blancas manos;	
	en ellos me abraso y quemo.	1805
CATALINÓN.	¡Almagrar y echar a extremo![133]	
	¡Con ésta cuatro serán!	
DON JUAN.	Ven, que mirándome están.	
BATRICIO.	¿En mis bodas caballero?	
	¡Mal agüero!	
GASENO.	Cantad.	
BATRICIO.	¡Muero!	1810
CATALINÓN.	Canten, que ellos llorarán.	

(*Vanse todos, con que da fin la segunda jornada.*[(31)])

---

[133] *¡Almagrar y echar a extremo!: almagrar* es marcar con almagre, óxido rojo empleado en la pintura. Así se hacía con las ovejas del rebaño, que tras ser marcadas se
abandonaban en el campo y servía la marca para reconocerlas frente a otras; *echar a
extremo* es abandonar, apartar. Catalinón expresa con estas palabras el comportamiento despreciable de don Juan, que primero «marca» a las mujeres para abandonarlas inmediatamente.

(31) El desenlace del último engaño de don Juan queda postergado
para la Jornada siguiente. El *nudo* de la obra está perfectamente construido para la solución final, y así lo acaba de recordar Catalinón al excla-
mar: *¡Con ésta, cuatro serán!* A las cuatro mujeres burladas habría que
añadir una más que aparece citada por don Pedro en la Jornada I —a no

ser que en el cómputo de Catalinón no conste doña Ana— y la muerte del Comendador. El espectador permanece atento e inmerso en el argumento porque los personajes burlados —su mejor amigo, Mota, está condenado a muerte— claman justicia. Uno de ellos, don Gonzalo, ha jurado vengarse tras la muerte. El autor ha conseguido mantener la intriga en una —casi— perfecta estructuración dramática.

JORNADA TERCERA

(*Sale* BATRICIO *pensativo.*)

BATRICIO.
Celos, reloj [de] cuidado[s]
que a todas las horas dais
tormentos con que matáis,
aunque dais desconcertados;[1]   1815
celos, del vivir desprecios,
con que ignorancias hacéis,[2]
pues todo lo que tenéis
de ricos, tenéis de necios;
dejadme de atormentar,   1820
pues es cosa tan sabida
que cuando amor me da vida,
la muerte me queréis dar.
¿Qué me queréis, caballero,
que me atormentáis ansí?   1825
Bien dije, cuando le vi
en mis bodas: «¡Mal agüero!»
¿No es bueno[3] que se sentó
a cenar con mi mujer

---

[1] *dais desconcertados:* los celos dan tormentos sin orden, cuando uno menos lo espera.   [2] *ignorancias hacéis:* producís equivocaciones.   [3] *¿No es bueno...?:* es irónico. Batricio llama la atención sobre lo que le parece digno de asombro.

y a mí en el plato meter   1830
la mano no me dejó?
    Pues cada vez que quería
metella, la desviaba,
diciendo a cuanto tomaba:
«¡Grosería, grosería!»   1835
    Pues llegándome a quejar
a algunos, me respondían
y con risa me decían:
«No tenéis de qué os quejar,
    eso no es cosa que importe;   1840
no tenéis de qué temer;
callad, que debe de ser
uso de allá de la corte.»
    ¡Buen uso, trato extremado![4]
¡Más no se usara en Sodoma![5]   1845
¡Que otro con la novia coma,
y que ayune el desposado!
    Pues el otro bellacón[6]
a cuanto comer quería,
«¿Esto no comé[is]?», decía;   1850
«No tenéis, señor, razón»,
    y de delante al momento
me lo quitaba. Corrido
estó[7]. Bien sé yo que ha sido
culebra[8] y no casamiento.   1855
    Ya no se puede sufrir,
ni entre cristianos pasar,
y acabando de cenar
con los dos, ¿mas que[9] a dormir
    se ha de ir también, si porfía,   1860
con nosotros, y ha de ser

---

[4] *trato extremado:* comportamiento exquisito. Aquí es irónico.   [5] *Sodoma:* ciudad castigada por Dios a causa de sus inmoralidades.   [6] *bellacón:* se refiere a don Juan.
[7] *estó:* estoy.   [8] *culebra:* broma pesada.   [9] *mas ¿que...?:* pero ¿a que...?

el llegar yo a mi mujer,
«grosería, grosería»?[(32)]

Ya viene, no me resisto;
aquí me quiero esconder;   1865
pero ya no puede ser,
que imagino que me ha visto.

(*Sale* DON JUAN TENORIO.)

DON JUAN.   Batricio...
BATRICIO.   Su señoría,
¿qué manda?
DON JUAN.   Haceros saber...
BATRICIO.   [*Aparte.*]
(¿Mas que ha de venir a ser   1870
alguna desdicha mía?)
DON JUAN.   ... que ha muchos días, Batricio,
que a Aminta el alma di,
y he gozado...
BATRICIO.   ¿Su honor?
DON JUAN.   Sí.
BATRICIO.   [*Aparte.*]
(Manifiesto y claro indicio   1875
de lo que he llegado a ver;
que, si bien no le quisiera,
nunca a su casa viniera;
al fin, al fin es mujer.[10])

---

[10] *Al fin, al fin es mujer:* sólo el hecho de que Aminta sea una mujer sirve a Batricio para creer las mentiras que sobre ella vierte don Juan, como ya ocurriera con el duque Octavio cuando don Pedro le mintió sobre el comportamiento de Isabela.

(32) En su simpleza, Batricio alude a una segunda intención en don Juan al querer *cenar* con su mujer y al no dejarle *meter la mano* en el plato de su esposa. El actor que representara este papel habría de suplir con gestos esta segunda intención. La escena se basa, como ha señalado Labertit, en una burla sobre la comida que anticipa la burla sexual de don

DON JUAN.	Al fin, Aminta, celosa,	1880
	o quizá desesperada	
	de verse de mí olvidada,	
	y de ajeno dueño[11] esposa,	
	esta carta me escribió	
	enviándome a llamar,	1885
	y yo prometí gozar	
	lo que el alma prometió.	
	Esto pasa de esta suerte.	
	Dad a vuestra vida un medio,[12]	
	que le daré sin remedio,	1890
	a quien lo impida, la muerte.[(33)]	
BATRICIO.	Si tú en mi elección lo pones,	
	tu gusto pretendo hacer,	
	que el honor y la mujer	
	son males en opiniones.[13]	1895
	La mujer en opinión	

---

[11] *ajeno dueño:* don Juan se refiere a Batricio. A través de la mentira conseguirá quitarse de en medio al legítimo esposo, al apelar al honor del campesino. [12] *medio:* camino. [13] *son males en opiniones:* Batricio explica que cuando el honor y la mujer son objeto sólo de sospecha, se convierten en desgracia para el hombre. La simple duda implica la deshonra.

~~~~~~

Juan. Por otro lado, el discurso de Batricio se encamina a describir al espectador las bodas y sus propios sentimientos.

(33) El tema del abuso del poder es uno de los más utilizados en el teatro del Siglo de Oro, como prueban, entre otros títulos, *Fuenteovejuna* o *Peribáñez y el Comendador de Ocaña*. En *El burlador* se convierte en un tema secundario y aplicado a dos de las burlas de don Juan. La estructura es muy básica. Los campesinos celebran tranquilamente sus bodas hasta que llega el noble (Batricio sospechaba que algo ocurriría desde el primer momento) y, abusando de su superioridad, altera la paz. Para volver a la tranquilidad y restablecer el orden, el rey intervendrá a favor de los villanos y el noble morirá. De todos modos, en este drama la necedad de Batricio es evidente. Entre elegir por su amor a Aminta o que quede en entredicho su honor, prefiere abandonar a su esposa en brazos de don Juan.

siempre más pierde que gana,
que son[14] como la campana,
que se estima por el son.

Y así es cosa averiguada 1900
que opinión viene a perder,
cuando cualquiera mujer
suena a campana quebrada.

No quiero, pues me reduces
el bien que mi amor ordena, 1905
mujer entre mala y buena,
que es moneda entre dos luces.

Gózala, señor, mil años,
que yo quiero resistir,
desengañar y morir, 1910
y no vivir con engaños. (*Vase.*)

DON JUAN.   Con el honor le vencí,
porque siempre los villanos
tienen su honor en las manos[15]
y siempre miran por sí. 1915

Que por tantas variedades[16]
es bien que se entienda y crea
que el honor se fue al aldea
huyendo de las ciudades.[(34)]

Pero antes de hacer el daño, 1920
le pretendo reparar;

---

[14] *son:* se refiere al honor y a la mujer.   [15] Don Juan se jacta de saber utilizar en su propio beneficio la sensibilidad de los campesinos en cuestiones de honor, y alude al orgullo pueril de los villanos.   [16] *variedades:* inconstancias, mudanzas.

(34) La idealización de la vida sencilla en la aldea frente a la falsedad de las ciudades es un tema también frecuente en la literatura del Siglo de Oro. El concepto del honor sufrió cierto deterioro y se denunció la ausencia de tal cualidad en los caballeros, prototipo antaño de esa dignidad. El honor no es tanto una cualidad personal como una condición social. De esta situación aún queda el dicho «pobre, pero honrado».

a su padre voy a hablar,
para autorizar mi engaño.
   Bien lo supe negociar;
gozarla esta noche espero.   1925
La noche camina, y quiero
su viejo padre llamar.
   ¡Estrellas que me alumbráis,
dadme en este engaño suerte,
si el galardón en la muerte   1930
tan largo me lo guardáis![17] (*Vase.*)

(*Sale* AMINTA, *y* BELISA.)

BELISA.   Mira que vendrá tu esposo;
entra a desnudarte, Aminta.
AMINTA.   De estas infelices bodas
no sé qué siento, Belisa.   1935
Todo hoy mi Batricio ha estado
bañado en melancolía,
todo en confusión y celos;
¡mirad qué grande desdicha!
   Di, ¿qué caballero es éste   1940
que de mi esposo me priva?
¡La desvergüenza en España
se ha hecho caballería!
[Déjame, que estoy sin seso;]
déjame, que estoy corrida.   1945
¡Mal hubiese el caballero
que mis contentos me priva![18]
BELISA.   Calla, que pienso que viene;
que nadie en la casa pisa,
de un desposado, tan recio.   1950
AMINTA.   Queda a Dios, Belisa mía.

---

[17] Don Juan concibe el nuevo engaño como una gran hazaña al modo caballeresco, digna de un héroe. Cínica y ridículamente pide ayuda a los astros.   [18] *priva:* prohíbe.

BELISA.	Desenójale en los brazos.
AMINTA.	¡Plega a los cielos que sirvan
	mis suspiros de requiebros,
	mis lágrimas de caricias! (*Vanse.*) 1955

(*Sale* DON JUAN, CATALINÓN, GASENO.)

DON JUAN.	Gaseno, quedad con Dios.
GASENO.	Acompañaros querría,
	por dalle de esta ventura
	el parabién[19] a mi hija.
DON JUAN.	Tiempo mañana nos queda. 1960
GASENO.	Bien decís; el alma mía,
	en la muchacha os ofrezco. [*Vase.*]
DON JUAN.	Mi esposa, decid. Ensilla,
	Catalinón.
CATALINÓN.	¿Para cuándo?
DON JUAN.	Para el alba, que de risa 1965
	muerta ha de salir mañana[20]
	deste engaño.
CATALINÓN.	Allá en Lebrija,
	señor, nos está aguardando
	otra boda.[21] Por tu vida,
	que despaches presto en ésta. 1970
DON JUAN.	La burla más escogida
	de todas ha de ser ésta.
CATALINÓN.	Que saliésemos quer[r]ía
	de todas bien.
DON JUAN.	Si es mi padre
	el dueño de la justicia 1975
	y es la privanza del rey,
	¿qué temes?
CATALINÓN.	De los que privan

---

[19] *parabién:* enhorabuena.   [20] Nótese la prosopopeya. El amanecer toma vida para compartir con don Juan la risa por el engaño cometido.   [21] *otra boda:* Catalinón se refiere a la boda de don Juan con Isabela, preparada por el rey.

suele Dios tomar venganza,
si delitos no castigan,(35)
y se suelen en el juego   1980
perder también los que miran.
Yo he sido mirón del tuyo,
y por mirón no quer[r]ía
que me cogiese algún rayo,
y me trocase en ce[niza].   1985

DON JUAN.   Vete, ensilla, que mañana
               he de dormir en Sevilla.

CATALINÓN.   ¿En Sevilla?

DON JUAN.   Sí.

CATALINÓN.   ¿Qué dices?²²
               Mira lo que has hecho y mira
               que hasta la muerte, señor,   1990
               es corta la mayor vida,
               [y] que hay tras la muerte [infierno].

DON JUAN.   Si tan largo me lo fías,
               vengan engaños.

CATALINÓN.   Señor...

DON JUAN.   Vete, que ya me amohínas²³   1995
               con tus temores extraños.

---

²² *¿Qué dices?:* Catalinón se sorprende de que don Juan haga caso omiso al destierro ordenado por el rey a Lebrija y resuelva, sin más, dormir esa misma noche en
Sevilla.   ²³ *amohínas:* enfadas.

(35) Con ésta y otras intervenciones de los personajes, *El burlador* se
convierte en una obra que critica abiertamente a los privados del rey. En
realidad no se denuncia un sistema político determinado, sino la desvia-
ción que el ser humano hace de él y cuáles pueden llegar a ser las consecuencias de este comportamiento. Catalinón, amparado en su condición
de gracioso, toma la palabra para ir de lo particular —la confianza de don
Juan en la condición de su padre— a lo general —advertencia al espectador—. Felipe III había dejado su gobierno en manos del duque de Lerma
primero y de su hijo el duque de Uceda después. Felipe IV hizo lo mismo
con el conde-duque de Olivares.

CATALINÓN.   Fuerza al turco, fuerza al scita,[24]
　　　　　　　al persa y al caramanto,[25]
　　　　　　　al gallego, al troglodita,
　　　　　　　al alemán y al japón,[26]　　　　　　　　2000
　　　　　　　al sastre con la agujita
　　　　　　　de oro en la mano, imitando
　　　　　　　contino[27] a *la Blanca niña*.[28] (*Vase.*)

DON JUAN.   La noche en negro silencio
　　　　　　　se extiende, y ya las cabrillas[29]　　　　2005
　　　　　　　entre racimos de estrellas
　　　　　　　el polo más alto pisan.
　　　　　　　Yo quiero poner mi engaño
　　　　　　　por obra. El amor me guía
　　　　　　　a mi inclinación, de quien　　　　　　　2010
　　　　　　　no hay hombre que se resista.
　　　　　　　Quiero llegar a la cama.
　　　　　　　¡Aminta!

（*Sale* AMINTA *como que está acostada.*）

AMINTA.　　　　　　　¿Quién llama [a] Aminta?
　　　　　　　¿Es mi Batricio?

DON JUAN.　　　　　　　　No soy
　　　　　　　tu Batricio.

AMINTA.　　　　　　　Pues ¿quién?

DON JUAN.　　　　　　　　　　Mira　　　　2015
　　　　　　　de espacio[30], Aminta, quién soy.

---

[24] *scita:* escita, natural de la Scitia o Escitia, región de Asia antigua cuyos habitantes poseían fama de crueles. [25] *caramanto:* garamanto, procedente de Garamante, región de la Libia interior. [26] *japón:* japonés. [27] *contino:* continuamente. [28] La reacción de Catalinón es totalmente exagerada y las invocaciones, ridículas, para acabar con la evocación a los sastres recitando la *Blanca niña*, romance conocido de sobra por el auditorio: «Estando la blanca niña / bordando en su bastidor...» La crítica ha visto connotaciones sexuales en esta alusión al sastre y la aguja. [29] *cabrillas:* pléyades. Son siete estrellas situadas en el signo de Tauro. Cuando se van acercando a la estrella polar comienza a amanecer. [30] *de espacio:* despacio, sin prisas.

AMINTA.	¡Ay de mí! ¡Yo soy perdida!
	¿En mi aposento a estas horas?
DON JUAN.	Éstas son las [horas] mías.
AMINTA.	Volveos, que daré voces.	2020
	No excedáis la cortesía
	que a mi Batricio se debe.
	Ved que hay romanas Emilias
	en Dos Hermanas también,
	y hay Lucrecias³¹ vengativas.	2025
DON JUAN.	Escúchame dos palabras,
	y esconde de las mejillas
	en el corazón la grana,
	por ti más preciosa y rica.
AMINTA.	Vete, que vendrá mi esposo.	2030
DON JUAN.	Yo lo soy. ¿De qué te admiras?
AMINTA.	¿Desde cuándo?
DON JUAN.	Desde agora.
AMINTA.	¿Quién lo ha tratado?
DON JUAN.	Mi dicha.
AMINTA.	¿Y quién nos casó?
DON JUAN.	Tus ojos.
AMINTA.	¿Con qué poder?
DON JUAN.	Con la vista.	2035
AMINTA.	¿Sábelo Batricio?
DON JUAN.	Sí,
	que te olvida.
AMINTA.	¿Que me olvida?
DON JUAN.	Sí; que yo te adoro.
AMINTA.	¿Cómo?
DON JUAN.	Con mis dos brazos.

---

³¹ Emilia y Lucrecia se citan frecuentemente en el teatro áureo como símbolos de honradez. Emilia es ejemplo de fidelidad a su esposo, Escipión el Africano; Lucrecia se suicidó ante su propio esposo después de que Tarquino la deshonrara. Con sus palabras, Aminta está reivindicando que, pese a su inferioridad social, la lealtad a su esposo es comparable a la de las dos matronas romanas.

AMINTA.   Desvía.[32]

DON JUAN.   ¿Cómo puedo, si es verdad   2040
                que muero?

AMINTA.   ¡Qué gran mentira!

DON JUAN.   Aminta, escucha y sabrás,
                si quieres que te lo diga,
                la verdad; que las mujeres
                sois de verdades amigas.   2045
                Yo soy noble caballero,
                cabeza de la familia
                de los Tenorios, antiguos
                ganadores de Sevilla.[33]
                Mi padre, después del rey,   2050
                se reverencia y estima,
                y en la corte, de sus labios
                pende la muerte o la vida.[34]
                Corriendo el camino acaso,
                llegué a verte, que amor guía   2055
                tal vez las cosas de suerte,
                que él mismo dellas se [admira].
                Vite, adoréte, abraséme,
                tanto, que tu amor me anima
                a que contigo me case;   2060
                mira qué acción tan precisa.
                Y aunque lo mormure[35] el rei[no],
                y aunque el rey lo contradiga,
                y aunque mi padre enojado
                con amenazas lo impida,   2065
                tu esposo tengo de ser.
                ¿Qué dices?

---

[32] El diálogo entre don Juan y Aminta se produce rápidamente. De este modo se señala implícitamente la pasión que acompaña a la representación de esta escena. [33] *ganadores de Sevilla:* conquistadores. Don Juan quiere destacar el papel desempeñado por su familia en la Reconquista. El linaje de los Tenorio existía ya en el siglo XIII y es cierto que Pedro Ruiz o Rodríguez Tenorio participó con Fernando III en la conquista de Sevilla. [34] Don Juan coloca por delante su alto linaje y el cargo desempeñado por su padre para lograr sus objetivos. [35] *mormure:* murmure.

AMINTA.	No sé qué diga,
	que se encubren tus verdades
	con retóricas mentiras.
	Porque si estoy desposada, 2070
	como es cosa conocida,
	con Batricio, el matrimonio
	no se absuelve[36] aunque él desista.
DON JUAN.	En no siendo con[su]mado,
	por engaño o por malicia 2075
	puede anularse.[37]
AMINTA.	En Batricio
	tod[o] fue verdad sencilla.
DON JUAN.	Ahora bien; dame esa mano,[38]
	y esta voluntad confirma
	con ella.
AMINTA.	¿Que no me engañas? 2080
DON JUAN.	Mío el engaño sería.
AMINTA.	Pues jura que cumplirás
	la palabra prometida.
DON JUAN.	Juro a esta mano, señora,
	infierno de nieve fría, 2085
	de cumplirte la palabra.
AMINTA.	Jura a Dios que te maldiga
	si no la cumples.
DON JUAN.	Si acaso
	la palabra y la fe mía
	te faltare, ruego a Dios 2090
	que a traición y alevosía
	me dé muerte un hombre... [*Aparte.*] (Muerto,
	que vivo, ¡Dios no permita!)[(36)]

---

[36] *absuelve:* disuelve.   [37] *puede anularse:* don Juan sugiere a Aminta la posibilidad de anular el matrimonio, ya que, según la mentira de don Juan, Batricio la ha olvidado sin consumar el matrimonio.   [38] *dame esa mano:* don Juan solicita de nuevo la mano a su nueva víctima.

(36) Éste es el momento en el que don Juan comete la gran falta, fuera

AMINTA.	Pues con ese juramento
	soy tu esposa.
DON JUAN.	El alma mía 2095
	entre los brazos te ofrezco.
AMINTA.	Tuya es el alma y la vida.
DON JUAN.	¡Ay, Aminta de mis ojos!
	Mañana sobre virillas[39]
	de tersa plata estrellada 2100
	con clavos de oro de Tíbar[40]
	pondrás los hermosos pies,
	y en prisión de gargantillas
	la alabastrina garganta,
	y los dedos en sortijas, 2105
	en cuyo engaste parezcan[41]
	transparentes perlas finas.
AMINTA.	A tu voluntad, esposo,
	la mía desde hoy se inclina.
	Tuya soy.
DON JUAN.	[*Aparte.*] ¡Qué mal conoces 2110
	al burlador de Sevilla! (*Vanse.*)[(37)]

---

[39] *virillas:* adornos en los zapatos femeninos, que servían además para sujetar el cordobán a la suela.   [40] *Tíbar:* la costa de oro africana. El oro de esta región era muy famoso en el siglo XVII.   [41] *parezcan:* aparezcan. Don Juan promete a Aminta todo tipo de joyas y adornos.

del ámbito humano e introduciéndose en el divino, al actuar contra el primer mandamiento de la ley de Dios: no tomar su nombre en vano. A petición de Aminta, don Juan jura a Dios, apresurado ya en la consecución del deseo, lo que provoca también su petición al Todopoderoso: que le mate un hombre a traición, pero reacciona rápidamente para empeorar, inconscientemente, su ruego a Dios, al burlarse de su propio juramento: que le dé la muerte un hombre muerto.

(37) Joaquín Casalduero interpreta que la acción de *El burlador de Sevilla* finaliza con esta escena. A partir de este momento comienza el desenlace de la obra y se engarza con el otro gran tema: *El convidado de piedra*. La solución tendrá lugar primero en Tarragona, donde reaparecen las primeras mujeres burladas, Tisbea y Aminta, de manera que poco a

(*Sale* ISABELA *y* FABIO *de camino.*)

ISABELA.   ¡Que me robase el dueño[42]
                   la prenda que estimaba y más quería!
                   ¡Oh riguroso empeño
                   de la verdad! ¡Oh máscara del día!   2115
                   ¡Noche al fin, tenebrosa,
                   antípoda del sol, del sueño esposa![43]

FABIO.   ¿De qué sirve, Isabela,
                   [la tristeza] en el alma y en los ojos,
                   si amor todo es cautela,   2120
                   y en campos de desdenes causa enojos,
                   si el que se ríe agora
                   en breve espacio desventuras llora?

                     El mar está alterado,
                   y en grave temporal, tiempo socorre.[44]   2125
                   El abrigo han tomado
                   las galeras, duquesa, de la torre
                   que esta playa corona.

ISABELA.   ¿Dónde estamos [ahora]?

FABIO.   En Tarragona.[45]

                     De aquí a poco espacio   2130
                   daremos en[46] Valencia, ciudad bella,
                   del mismo sol palacio.
                   Divertiráste algunos días en ella,
                   y después a Sevilla
                   irás a ver la octava maravilla.   2135

---

   [42] *el dueño*: se refiere a don Juan, con quien va a ser desposada, que le quitó la honra.   [43] Isabela reprocha a la noche haber amparado con su oscuridad la burla de don Juan.   [44] *tiempo socorre*: el paso del tiempo hará que se calme el temporal. Las palabras de Fabio se convierten en acotación.   [45] *En Tarragona*: el escenario se suple de nuevo por las palabras de los personajes.   [46] *daremos en*: llegaremos a.

poco los personajes vuelven a la escena para conseguir el final típico de la obra dramática barroca. La segunda escena tendrá lugar en una iglesia de Sevilla y la tercera en la posada de don Juan, la cuarta en palacio, la quinta de nuevo en la iglesia y la sexta y última en palacio.

        Que si a Octavio perdiste,
más galán es don Juan, y de [notorio]
solar.[47] ¿De qué estás triste?
Conde dicen[48] que es ya don Juan Tenorio;
el rey con él te casa,   2140
y el padre es la privanza de su casa.

ISABELA.   No nace mi tristeza
de ser esposa de don Juan, que el mundo
conoce su nobleza;
en la esparcida voz[49] mi agravio fundo,   2145
que esta opinión perdida
es de llorar mientras tuviere vida.

FABIO.   Allí una pescadora
tiernamente suspira y se lamenta,
y dulcemente llora.   2150
Acá viene, sin duda, y verte intenta.
Mientras llamo tu gente,
lamentaréis las dos más dulcemente.[50]

        (*Vase* FABIO *y sale* TISBEA.)

TISBEA.   Robusto mar de España,
ondas de fuego, fugitivas ondas,   2155
Troya de mi cabaña,
que ya el fuego, por mares y por ondas,
en sus abismos fragua,
y el mar forma, por las llamas, agua.[51]
        ¡Maldito el leño[52] sea   2160

---

[47] *de notorio / solar:* alude a la nobleza de la casa de los Tenorio.   [48] *Conde dicen:* Fabio recoge un rumor que se confirmará más adelante en palabras del rey.   [49] *esparcida voz:* Isabela se lamenta de que su deshonra es pública.   [50] *lamentaréis las dos más dulcemente:* estas palabras recuerdan la Égloga Primera de Garcilaso de la Vega*:* «El dulce lamentar de dos pastores / Salicio juntamente y Nemoroso / he de cantar sus quejas imitado...»   [51] En su exhortación al mar, Tisbea explica que de allí salió el fuego —don Juan— que convirtió su cabaña en Troya. Esa pasión, ese fuego que salió del mar, es el responsable de las lágrimas que ahora producen sus ojos.   [52] *leño:* se refiere al barco en el que naufragó don Juan.

que a tu amargo cristal halló [camino],[53]
antojo de Medea,
tu cáñamo primero o primer lino,[54]
aspado[55] de los vientos,
para telas de engaños e instrumentos!   2165

ISABELA.   ¿Por qué del mar te quejas
tan tiernamente, hermosa pescadora?

TISBEA.   Al mar formo mil quejas.
¡Dichosa vos, que en su tormento,[56] agora
dél os estáis riendo!   2170

ISABELA.   También quejas del mar estoy haciendo.
¿De dónde sois?

TISBEA.   De aquellas
cabañas que miráis del viento heridas
tan vitorios[o] entre ellas,
cuyas pobres paredes desparcidas[57]   2175
van en pedazos graves,
dando [en] mil [grietas nidos] a las aves.
En sus pajas me dieron
corazón de fortísimo diamante;
mas las obras me hicieron,   2180
deste monstruo que ves tan arrogante,
ablandarme de suerte,
que al sol la cera es más robusta y fuerte.
¿Sois vos la Europa hermosa
que[58] esos toros os llevan?[59]

---

[53] *halló camino:* encontró medio para sobrevivir al naufragio.   [54] En este breve discurso Tisbea acusa a la navegación de ser la responsable de todos sus males; el *antojo de Medea* alude a la historia de Jasón y la nave *Argos*. Medea, hechicera enamorada de Jasón, le ayudó en el mar en su búsqueda del vellocino de oro. El *cáñamo primero* y el *primer lino* aluden a las cuerdas y telas de las embarcaciones de vela, en una de las cuales llegó don Juan. Las imprecaciones de la pescadora al mar se corresponden con las quejas de Catalinón en la Jornada primera.   [55] *aspado:* quebrantado.   [56] *tormento:* el temporal pasado.   [57] *desparcidas:* esparcidas.   [58] *que:* puesto que.   [59] Tisbea alude al rapto de Europa por Júpiter convertido en toro. Cuando los barcos llegaban a tierra eran arrastrados por bueyes hasta la orilla para que desembarcaran sus ocupantes. Isabela vuelve en esos momentos a la barca que le llevará a Valencia, según apunta Fabio (v. 2131).

ISABELA.   [A Sevilla]   2185
    llévanme a ser esposa
    contra mi voluntad.
TISBEA.   Si mi mancilla
    a lástima os provoca,
    y si injurias del mar os tienen loca,
     en vuestra compañía   2190
    para serviros como humilde esclava
    me llevad; que querría,
    si el dolor o la afrenta no me acaba,
    pedir al rey justicia
    de un engaño cruel, de una malicia.[60]   2195
     Del agua derrotado
    a esta tierra llegó don Juan Tenorio,
    difunto y anegado;
    amparéle, hospedéle en tan notorio
    peligro, y el vil güésped   2200
    víbora fue a mi planta e[n] tierno césped.
     Con palabra de esposo,
    la que de esta costa burla hacía
    se rindió al engañoso;
    ¡mal haya la mujer que en hombres fía!   2205
    Fuese al fin, y dejóme;
    mira si es justo que venganza tome.[(38)]
ISABELA.   ¡Calla, mujer maldita!
    Vete de mi presencia, que me has muerto.
    Mas si el dolor te incita,   2210
    no tienes culpa tú. Prosigue el cuento.
TISBEA.   ¡La dicha fu[e]ra mía!
ISABELA.   ¡Mal haya la mujer que en hombres fía!

---

[60] Las mismas palabras —*engaño, malicia*— (v. 2075) acaban de ser utilizadas por don Juan en la seducción de Aminta.

(38) A partir de este momento comienza a conocerse la verdadera naturaleza de don Juan por parte de los que aún creían en su nobleza.

                           ¿Quién tiene de ir contigo?
TISBEA.   Un pescador, Anfriso, un pobre padre   2215
                de mis males testigo.
ISABELA.   [*Aparte.*]
                (No hay venganza que a mi mal tanto cuadre.)
                Ven en mi compañía.[61]
TISBEA.   ¡Mal haya la mujer que en hombres fía! (*Vanse.*)

                (*Sale* DON JUAN *y* CATALINÓN.)

CATALINÓN.   Todo [en mal estado] está.   2220
DON JUAN.   ¿Cómo?
CATALINÓN.   Que Octavio ha sabido
                la traición de Italia ya,
                y el de la Mota, ofendido,
                de ti justas quejas da,
                   y dice, al fin, que el recaudo   2225
                que de su prima le diste
                fue fingido y simulado,
                y con su capa empre[nd]iste
                la traición que le ha infamado.
                   Dice que viene Isabela   2230
                a que seas su marido,
                y dicen...
DON JUAN.   ¡Calla![62]
CATALINÓN.   Una muela
                en la boca me has rompido.
DON JUAN.   Hablador, ¿quién te revela
                   tantos disparates juntos?   2235
CATALINÓN.   [¡Disparate, disparate!]
                verdades son.
DON JUAN.   No pregunto

---

[61] *Ven en mi compañía:* Isabela ve en Tisbea la ocasión de deshacerse de un matrimonio impuesto por el rey y que realmente no desea.   [62] *¡Calla!:* la orden ha de
estar acompañada de un fuerte bofetón al criado, según indican las palabras
siguientes.

	si lo son. Cuando[63] me mate
	Otavio, ¿estoy yo difunto?
	¿No tengo manos también? 2240
	¿Dónde me tienes posada?
CATALINÓN.	En la calle, oculta.
DON JUAN.	Bien.
CATALINÓN.	La iglesia es tierra sagrada.[64]
DON JUAN.	Di que de día me den
	en ella la muerte. ¿Viste 2245
	al novio de Dos Hermanas?[65]
CATALINÓN.	También le vi ansiado y triste.
DON JUAN.	Aminta estas dos semanas[66]
	no ha de caer en el chiste.
CATALINÓN.	Tan bien engañada está, 2250
	que se llama doña Aminta.[67]
DON JUAN.	¡Graciosa burla será!
CATALINÓN.	Graciosa burla y sucinta,
	mas siempre la llorará.

(*Descúbrese un sepulcro*[68] *de* DON GONZALO DE ULLOA.)

DON JUAN.	¿Qué sepulcro es éste?
CATALINÓN.	Aquí 2255
	don Gonzalo está enterrado.
DON JUAN.	Éste es el que muerte di.
	¡Gran sepulcro le han labrado!
CATALINÓN.	Ordenólo el rey ansí.

---

[63] *Cuando:* aunque. [64] *La iglesia es tierra sagrada:* don Juan y Catalinón entran en una iglesia porque los perseguidos por la justicia podían encontrar refugio en ella. La posada de don Juan está oculta, pero Catalinón prefiere la iglesia. [65] El *novio de Dos Hermanas* es Batricio. [66] La acotación interna nos permite saber cuánto tiempo ha pasado desde la burla a la campesina. [67] *doña Aminta:* el tratamiento de *don/doña* sólo se podía dar a las clases nobles. Aminta resulta ridícula tildándose de «doña» por creerse la prometida de don Juan. [68] La información escénica de cómo había de ser el sepulcro se produce en la Jornada II, después de que la guardia del rey prendiera al marqués de la Mota (vv. 1656-1664).

	¿Cómo dice este letrero?[69]	2260
DON JUAN.	«Aquí aguarda del Señor,	
	el más leal caballero,	
	la venganza de un traidor.»	
	Del mote[70] reírme quiero.	

¿Y habéisos[71] vos de vengar,   2265
buen viejo, barbas de piedra?

CATALINÓN.   No se las podrás pelar,[72]
que en barbas muy fuertes medra.

DON JUAN.   Aquesta noche a cenar
os aguardo en mi posada.   2270
Allí el desafío haremos,
si la venganza os agrada;
aunque mal reñir podremos,
si es de piedra vuestra espada.

CATALINÓN.   Ya, señor, ha anochecido;   2275
vámonos a recoger.

DON JUAN.   Larga esta venganza ha sido.
Si es que vos la habéis de hacer,
importa no estar dormido,
que si a la muerte aguardáis   2280
la venganza, la esperanza
agora es bien que perdáis,
pues vuestro enojo y venganza
tan largo me lo fiáis. (*Vanse.*)

(*Ponen la mesa dos* CRIADOS.[73])

CRIADO 1º.   Quiero apercebir[74] la cena,   2285
que vendrá a cenar don Juan.

---

[69] Según parece, Catalinón no sabe leer, circunstancia de la que se sirve Tirso para informar también al espectador de lo que está escrito en el sepulcro.   [70] *mote:* sentencia breve que incluye algún secreto o misterio. Aquí se refiere a la inscripción del sepulcro.   [71] *habéisos:* os habéis.   [72] Según la indicación de Catalinón, don Juan se acerca a las barbas de la estatua y se burla de ella, tirándole de las mismas. Las palabras del criado vuelven a aparecer como acotación en el drama.   [73] La acción transcurre ahora en la posada en la que se hospeda don Juan.   [74] *apercebir:* preparar.

[CRIADO] 2º.	Puestas las mesas están.
	¡Qué flema[75] tiene si empieza!
	Ya tarda como solía
	mi señor; no me contenta; 　　　　2290
	la bebida se calienta
	y la comida se enfría.
	Mas, ¿quién a don Juan ordena
	esta desorden?

(*Entra* DON JUAN *y* CATALINÓN.)

DON JUAN.	¿Cerraste?
CATALINÓN.	Ya cerré como mandaste. 　　　　2295
DON JUAN.	¡Hola! Tráiganme la cena.
[CRIADO] 2º.	Ya está aquí.
DON JUAN.	Catalinón,
	siéntate.
CATALINÓN.	Yo soy amigo
	de cenar de espacio.
DON JUAN.	Digo
	que te sientes.
CATALINÓN.	La razón 　　　　2300
	haré.[76]
CRIADO 1º.	También es camino
	éste, si come con él.[77]
DON JUAN.	Siéntate.

(*Un golpe dentro.*)

CATALINÓN.	Golpe es aquél.
DON JUAN.	Que llamaron imagino;
	mira quién es.
[CRIADO 1º].	Voy volando. 　　　2305

---

[75] *flema:* pereza. 　 [76] *La razón / haré:* corresponderé a la invitación que me haces.
[77] El criado alude a que los criados nunca comían con los señores a no ser que se encontraran de viaje, en *camino*.

CATALINÓN.	¿Si es la justicia, señor?[78]
DON JUAN.	Sea, no tengas temor.

(*Vuelve el criado, huyendo.*)

	¿Quién es? ¿De qué estás temblando?	
CATALINÓN.	De algún mal da testimonio.	
DON JUAN.	Mal mi cólera resisto.	2310
	¡Habla! ¡Responde! ¿Qué has visto?	
	¿Asombróte[79] algún demonio?	
	Ve tú, y mira aquella puerta.	
	¡Presto,[80] acaba!	
CATALINÓN.	¿Yo?	
DON JUAN.	Tú, pues.	
	¡Acaba, menea los pies!	2315
CATALINÓN.	A mi agüela hallaron muerta,	
	como racimo colgada,	
	y desde entonces se suena[81]	
	que anda siempre su alma en pena.	
	Tanto golpe no me agrada.	2320
DON JUAN.	Acaba.	
CATALINÓN.	Señor, si sabes	
	que soy un Catalinón...	
DON JUAN.	Acaba.	
CATALINÓN.	¡Fuerte ocasión![82]	
DON JUAN.	¿No vas?	
CATALINÓN.	¿Quién tiene las llaves	
	de la puerta?	
[CRIADO] 2°.	Con la aldaba	2325
	está cerrada no más.	
DON JUAN.	¿Qué tienes? ¿Por qué no vas?	
CATALINÓN.	Hoy Catalinón acaba.	

---

[78] Catalinón no relaciona la visita nocturna con el convite macabro, sino con las otras víctimas de don Juan, que estaban, como ya explicó, pidiendo justicia al rey. [79] *¿Asombróte...?*: ¿Te asustó...? [80] *presto*: rápido. [81] *se suena*: se dice. [82] *¡Fuerte ocasión!*: ¡Terrible riesgo!

¿Mas si las forzadas vienen
a vengarse de los dos?[83]　　　　　　　　　2330

(*Llega* CATALINÓN *a la puerta, y viene corriendo; cae y levántase.*)

DON JUAN.　　¿Qué es eso?
CATALINÓN.　　　　　　　¡Válgame Dios!
　　　　　　¡Que me matan, que me tienen![84]
DON JUAN.　　　　　¿Quién te tiene, quién te [mata]?
　　　　　　¿Qué has visto?
CATALINÓN.　　　　　　　　Señor, yo allí
　　　　　　vide[85] cuando... luego fui...　　　　　　2335
　　　　　　¿Quién me ase, quién me arrebata?
　　　　　　　Llegué, cuando después ciego...
　　　　　　cuando vile, ¡juro a Dios!...
　　　　　　Habló y dijo: «¿Quién sois vos?»...
　　　　　　respondió... respondí luego...　　　　　2340
　　　　　　topé y vide...[86]
DON JUAN.　　　　　　　¿A quién?
CATALINÓN.　　　　　　　　　　No sé.
DON JUAN.　　¡Cómo el vino desatina!
　　　　　　Dame la vela, gallina,
　　　　　　y yo a quien llama veré.

(*Toma* DON JUAN *la vela, y llega a la puerta. Sale al encuentro* DON
GONZALO, *en la forma que estaba en el sepulcro, y* DON JUAN *se retira atrás
turbado, empuñando [con una mano] la espada, y en la otra la vela, y*
DON GONZALO *hacia él con pasos menudos, y al compás* DON JUAN, *reti-
rándose hasta estar en medio del teatro.*[(39)])

---

[83] Catalinón ofrece una tercera posibilidad sobre la procedencia de los golpes: si
no es la justicia, ni el alma en pena de su abuela, sólo podrían ser las mujeres burladas por don Juan.　[84] *¡que me tienen!:* ¡que me agarran!　[85] *vide:* vi, arcaísmo.
[86] El susto y azoramiento de Catalinón se expresan con la acumulación de verbos
que, a la vez, aumentan la expectación.

---

(39) Esta acotación es la más larga que se ofrece en la obra. Además de
proporcionar información sobre la escena en concreto, aporta otras notas

DON JUAN.	¿Quién va?
DON GONZALO.	Yo soy.
DON JUAN.	¿Quién sois vos? 2345
DON GONZALO.	Soy el caballero honrado
	que a cenar has convidado.
DON JUAN.	Cena habrá para los dos,
	y si vienen más contigo,
	para todos cena habrá. 2350
	Ya puesta la mesa está.
	Siéntate.
CATALINÓN.	¡Dios sea conmigo!
	¡San Panuncio, san Antón![87]
	Pues, ¿los muertos comen? Di.
	Por señas dice que sí. 2355
DON JUAN.	Siéntate, Catalinón.
CATALINÓN.	No, señor; yo lo recibo
	por cenado.[88]
DON JUAN.	Es desconcierto.
	¡Qué temor tienes a un muerto!
	¿Qué hicieras estando vivo? 2360
	¡Necio y villano temor!

---

[87] *¡San Panuncio, san Antón!:* la invocación a santos inverosímiles es una característica del gracioso en el teatro de Tirso de Molina. El motivo se repite más adelante.
[88] *yo lo recibo / por cenado:* yo ya me doy por cenado.

escénicas: don Juan toma *la vela*, por tanto encima de la mesa ha de encontrarse una al inicio de la escena. En la otra mano lleva la *espada*, que habrá de estar cercana a la persona de don Juan durante toda la escena. Don Gonzalo aparece *en la forma que estaba en el sepulcro*, que relacionamos con las palabras del rey en la Jornada II y que ya han servido para imaginar la escena de la iglesia: una estatua de piedra. Don Juan *se retira hacia atrás turbado*: es la primera vez que el burlador aparece asustado, y la estatua de don Gonzalo le empuja poco a poco hacia el centro del escenario (el *teatro* en el Siglo de Oro era realmente el escenario). Ninguna acotación sobre la actitud de Catalinón, que se limita a contraponer con su persona el lado cómico al trágico.

CATALINÓN.	Cena con tu convidado
	que yo, señor, ya he cenado.
DON JUAN.	¿He de enojarme?
CATALINÓN.	Señor,
	¡vive Dios, que güelo mal![89] 2365
DON JUAN.	Llega, que aguardando estoy.
CATALINÓN.	Yo pienso que muerto soy,
	y está muerto mi arrabal.[90]

(*Tiemblan los criados.*)

DON JUAN.	Y vosotros, ¿qué decís?
	¿Qué hacéis? ¡Necio temblar! 2370
CATALINÓN.	Nunca quisiera cenar
	con gente de otro país.
	¿Yo, señor, con convidado
	de piedra?
DON JUAN.	¡Necio temer!
	Si es piedra, ¿qué te ha de hacer? 2375
CATALINÓN.	Dejarme descalabrado.
DON JUAN.	Háblale con cortesía.
CATALINÓN.	¿Está bueno? ¿Es buena tierra
	la otra vida? ¿Es llano o sierra?
	¿Prémiase allá la poesía?[91] 2380
CRIADO.	A todo dice que sí
	con la cabeza.
CATALINÓN.	¿Hay allá
	muchas tabernas? Sí habrá,
	si [Noé] reside allí.[92]
DON JUAN.	¡Hola! Dadnos de [cenar]. 2385
CATALINÓN.	Señor muerto, ¿allá se bebe
	con nieve?[93]

---

[89] Catalinón alude cómicamente a que el miedo le ha producido descomposición.
[90] *arrabal:* posaderas. El criado continúa su broma escatológica. Su hedor le hace sospechar que está muerto. [91] Catalinón alude a las justas y academias poéticas tan frecuentes en el Siglo de Oro. [92] Vulgarmente se considera a Noé el inventor del vino. [93] En la época se enfriaban las bebidas con nieve; véase en la Jornada I la nota 160.

(*Baja* [DON GONZALO] *la cabeza.*)

                    Así que hay nieve.
        ¡Buen país!
DON JUAN.   Si oír cantar
queréis, cantarán.

(*Baja* [DON GONZALO] *la cabeza.*)

CRIADO 2º.	Sí, dijo.	
DON JUAN.	Cantad.	
CATALINÓN.	Tiene el seor[94] muerto	2390

        buen gusto.
CRIADO 1º.   Es noble, por cierto,
y amigo de regocijo.

(*Cantan dentro.*)

    Si de mi amor aguardáis,
señora, de aquesta suerte,
el galardón en la muerte,   2395
¡qué largo me lo fiáis![95]
CATALINÓN.   O es sin duda veraniego[96]
el seor muerto, o debe ser
hombre de poco comer.
Temblando al plato me llego.   2400
    Poco beben por allá. (*Bebe.*)
Yo beberé por los dos.
Brindis de piedra ¡por Dios!
Menos temor tengo ya.

(*Cantan.*)

---

[94] *seor:* señor, vulgarismo.   [95] Sobre la función dramática de las canciones, véanse las *Orientaciones para el estudio* y **(18)**.   [96] *veraniego:* alude al hecho de que en verano se come poco debido al calor.

Si ese plazo me convida 2405
para que gozaros pueda,
pues larga vida me queda,
dejad que pase la vida.
    Si de mi amor aguardáis,
señora, de aquesta suerte 2410
el galardón en la muerte,
¡qué largo me lo fiáis!

CATALINÓN.   ¿Con cuál de tantas mujeres
como has burlado, señor,
hablan?

DON JUAN.   De todas me río, 2415
amigo, en esta ocasión.
En Nápoles a Isabela...

CATALINÓN.   Esa, señor, ya no es [hoy]
burlada, porque se casa
contigo, como es razón. 2420
Burlaste a la pescadora
que del mar te redimió,
pagándole el hospedaje
en moneda de rigor.
Burlaste a doña Ana...

DON JUAN.   Calla, 2425
que hay parte aquí que lastó[97]
por ella, y vengarse aguarda.

CATALINÓN.   Hombre es de mucho valor,
que él es piedra, tú eres carne;
no es buena resolución. 2430

(*Hace señas* [DON GONZALO] *que se quite la mesa y queden solos.*)

DON JUAN.   ¡Hola! Quitad esa mesa,
que hace señas que los dos

---

[97] *lastó:* pagó, pero con un matiz referido a hacer un gasto en algo con intención de cobrarlo de otro, a cuya cuenta se pone.

	nos quedemos, y se vayan	
	los demás.	
CATALINÓN.	¡Malo, por Dios!	
	No te quedes, porque hay muerto	2435
	que mata de un mojicón[98]	
	a un gigante.	
DON JUAN.	Salíos todos.	
	¡A ser yo Catalinón...![99]	
	Vete, que viene.	

(*Vanse, y quedan los dos solos, y hace señas que cierre la puerta.*)

	La puerta	
	ya está cerrada. Ya estoy	2440
	aguardando. Di, ¿qué quieres,	
	sombra o fantasma o visión?	
	Si andas en pena, o si aguardas	
	alguna satisfacción	
	para tu remedio, dilo,	2445
	que mi palabra te doy	
	de hacer lo que ordenares.	
	¿Estás gozando de Dios?	
	¿Dite la muerte en pecado?	
	Habla, que suspenso estoy.	2450

(*Paso,[100] como cosa del otro mundo.*)

DON GONZALO.	¿Cumplirásme una palabra	
	como caballero?	
DON JUAN.	Honor	
	tengo, y las palabras cumplo,	
	porque caballero soy.[101]	

---

[98] *mojicón:* puñetazo.   [99] *¡A ser yo Catalinón...!:* ¡Ni que fuera yo un cobarde!   [100] *Paso:* pausadamente, en voz baja.   [101] Es evidente el sarcasmo de esta afirmación en boca de don Juan, que ha demostrado a lo largo del drama que el honor no se halla implícito en la condición de caballero.

Don Gonzalo.	Dame esa mano; no temas.[40]	2455
Don Juan.	¿Eso dices? ¿Yo, temor?	
	Si fueras el mismo infierno	
	la mano te diera yo.	

(*Dale la mano.*)

Don Gonzalo.	Bajo esta palabra y mano	
	mañana a las diez estoy	2460
	para cenar aguardando.	
	¿Irás?	
Don Juan.	Empresa mayor	
	entendí que me pedías.	
	Mañana tu güésped soy.	
	¿Dónde he de ir?	
Don Gonzalo.	A mi capilla.	2465
Don Juan.	¿Iré solo?	
Don Gonzalo.	No, los dos;	
	y cúmpleme la palabra	
	como la he cumplido yo.	
Don Juan.	Digo que la cumpliré,	
	que soy Tenorio.[102]	
Don Gonzalo.	Yo soy	2470
	Ulloa.	
Don Juan.	Yo iré sin falta.	
Don Gonzalo.	Y yo lo creo. Adiós.	

(*Va a la puerta.*)

---

[102] Don Juan sólo cumple la palabra a don Gonzalo porque éste cuestiona su honor y su valentía bajo la evocación de su condición de caballero.

(40) La crítica ha señalado el valor simbólico y la unidad dramática que significa que el Comendador le pida la mano a don Juan, del mismo modo que él hacía con sus víctimas femeninas. Don Gonzalo le pedirá de nuevo la mano en los vv. 2759-2760. Es don Juan quien ahora se encamina a su perdición.

Don Juan.   Aguarda, iréte alumbrando.
Don Gonzalo. No alumbres, que en gracia estoy.[103]

(*Vase muy poco a poco, mirando a* Don Juan, *y* Don Juan *a él, hasta
que desaparece, y queda* Don Juan *con pavor.*)

Don Juan.   ¡Válgame Dios! Todo el cuerpo   2475
                se ha bañado de un sudor,
                y dentro de las entrañas
                se me yela el corazón.
                Cuando me tomó la mano,
                de suerte me la apretó,   2480
                que un infierno parecía;
                jamás vide tal calor.
                Un aliento respiraba,
                organizando la voz,[104]
                tan frío, que parecía   2485
                infernal respiración.
                Pero todas son ideas
                que da la imaginación.
                El temor y temer muertos
                es más villano temor.   2490
                Que si un cuerpo noble, vivo,
                con potencias y razón
                y con alma no se teme,
                ¿quién cuerpos muertos temió?
                Mañana iré a la capilla   2495
                donde convidado soy,
                porque se admire y espante
                Sevilla de mi valor. (*Vase.*)[41]

---

[103] El alma de don Gonzalo no está en el infierno; murió, pues, en gracia, lo que
prueba aún más su valía.   [104] *organizando la voz:* al hablar.

(41) Don Juan se había mostrado envalentonado ante sus criados, aunque las palabras de calma que les dirige: «¡Necio temblar!» (v. 2370),

(*Sale el* REY *y* DON DIEGO TENORIO, *y acompañamiento.*)

REY.   ¿Llegó al fin Isabela?

DON DIEGO.   Y di[s]gustada.

REY.   Pues, ¿no ha tomado bien el casamiento?   2500

DON DIEGO.   Siente, señor, el nombre de infamada.[105]

REY.   De otra causa procede su tormento.
               ¿Dónde está?

DON DIEGO.   En el convento está alojada
               de las Descalzas.[106]

REY.   Salga del convento
               luego al punto, que quiero que en palacio   2505
               asista con la reina más de espacio.

DON DIEGO.   Si ha de ser con don Juan el desposorio,
               manda, señor, que tu presencia vea.[107]

REY.   Véame, y galán salga, que notorio
               quiero que este placer al mundo sea.   2510
               Conde será desde hoy don Juan Tenorio[108]
               de Lebrija; él la mande y la posea;
               que si Isabela a un duque corresponde,
               ya que ha perdido un duque, gane un conde.

DON DIEGO.   Todos por la merced tus pies besamos.   2515

---

[105] Isabela lamenta haber perdido el honor, no su matrimonio con alguien a quien no ama.   [106] El convento de las Descalzas de Santa Clara, en Sevilla. El autor comete de nuevo un anacronismo consciente. Este convento se fundó hacia 1520, por tanto no existía en el momento histórico en el que transcurre la acción de *El burlador*, el siglo XIV.   [107] Don Diego solicita el fin del destierro de su hijo.   [108] Ya había hablado de este nombramiento Fabio en el v. 2139.

«¡Necio temer! / Si es de piedra, ¿qué te ha de hacer?» (vv. 2374-2375), parece que las aplica a sí mismo. Es la imagen que quiere mantener ante sus criados y ante él mismo. Pero ahora, sólo con el espectador, reconoce su miedo e intenta razonar. Quiere no creer en el poder del más allá, de los muertos, porque lo considera incompatible con su condición de caballero. Eso será su perdición. La acción dramática ha traspasado ya a lo sobrenatural con la aparición de don Gonzalo. La escena siguiente vuelve a lo terrenal con la petición de justicia ante el rey por parte de las víctimas de don Juan.

Rey.	Merecéis mi favor tan dignamente,
	que si aquí los servicios ponderamos,
	me quedo atrás con el favor presente.
	Paréceme, don Diego, que hoy hagamos
	las bodas de doña Ana juntamente. 2520
Don Diego.	¿Con Otavio?
Rey.	No es bien que el duque Octavio
	sea el restaurador de aqueste agravio.
	Doña Ana con la reina me ha pedido
	que perdone al marqués, porque doña Ana,
	ya que el padre murió, quiere marido; 2525
	porque si le perdió, con él le gana.
	Iréis con poca gente y sin ruido
	luego a hablalle a la fuerza de Triana;[109]
	por su satisfación y por su abono,[110]
	de su agraviada prima, le perdono. 2530
Don Diego.	Ya he visto lo que tanto deseaba.
Rey.	Que esta noche han de ser, podéis decille,
	los desposorios.
Don Diego.	Todo en bien se acaba.
	Fácil será al marqués el persuadille,
	que de su prima amartelado[111] estaba. 2535
Rey.	También podéis [a] Octavio prevenille.
	Desdichado es el duque con mujeres;
	son todas opinión y pareceres.[112]
	Hanme dicho que está muy enojado
	con don Juan.
Don Diego.	No me espanto, si ha sabido 2540
	de don Juan el delito averiguado,
	que la causa de tanto daño ha sido.
	El duque viene.

---

[109] *la fuerza de Triana:* el castillo-fortaleza que se encontraba en esta localidad sevillana.   [110] *por su satisfación y por su abono:* el rey pondrá en libertad al marqués de la Mota porque doña Ana merece ver cumplido su deseo.   [111] *amartelado:* enamorado.   [112] La reputación de las mujeres que han tenido algo que ver con el duque Octavio parece que ha sido siempre dudosa.

REY.   No dejéis mi lado,
que en el delito sois comprehendido.[113]

(*Sale el* DUQUE OCTAVIO.)

OCTAVIO.   Los pies, invicto rey, me dé tu alteza.   2545
REY.   Alzad, duque, y cubrid vuestra cabeza.[114]
                 ¿Qué pedís?
OCTAVIO.   Vengo a pediros,
             postrado ante vuestras plantas,
             una merced, cosa justa,
             digna de serme otorgada.   2550
REY.   Duque, como justa sea,
             digo que os doy mi palabra
             de otorgárosla. Pedid.
OCTAVIO.   Ya sabes, señor, por cartas
             de tu embajador, y el mundo   2555
             por la lengua de la fama;
             sabes que don Juan Tenorio,
             con española arrogancia,
             en Nápoles una noche,
             para mí noche tan mala,   2560
             con mi nombre profanó
             el sagrado[115] de una dama.
REY.   No pases más adelante.
             ya supe vuestra desgracia.
             En efeto, ¿qué pedís?   2565
OCTAVIO.   Licencia que en la campaña
             defienda cómo es traidor.[116]
DON DIEGO.   ¡Eso no! Su sangre clara
             es tan honrada...
REY.   ¡Don Diego!

---

[113] *en el delito sois comprehendido:* por ser el padre de don Juan, don Diego está vinculado a las faltas de su hijo.   [114] La merced de cubrirse la cabeza con el sombrero ante el rey era sólo privilegio de los grandes.   [115] *el sagrado:* las habitaciones.   [116] El duque Octavio solicita del rey permiso para retar a don Juan a duelo.

DON DIEGO.	Señor.
OCTAVIO.	¿Quién eres, que hablas
	en la presencia del rey
	de esa suerte?[(42)]
DON DIEGO.	Soy quien calla
	porque me lo manda el rey;
	que si no, con esta espada
	te respondiera.
OCTAVIO.	Eres viejo.
DON DIEGO.	Ya he sido mozo en Italia,
	a vuestro pesar, un tiempo.
	Ya conocieron mi espada
	en Nápoles y en Milán.
OCTAVIO.	Tienes ya la sangre helada.
	No vale «Fui», sino «Soy».
DON DIEGO.	Pues fui, y soy. (*Empuña.*)
REY.	¡Tened![117] ¡Basta!
	Bueno está. Callad, don Diego;
	que a mi persona se guarda
	poco respeto. Y vos, duque,
	después que las bodas se hagan,
	más de espacio hablaréis.
	Gentilhombre de mi cámara[118]
	es don Juan, y hechura[119] mía,

Line numbers (right margin): 2570, 2575, 2580, 2585

---

[117] *¡Tened!:* ¡Deteneos!   [118] *gentilhombre de mi cámara:* este cargo era uno de los más distinguidos entre los criados del monarca. Su función consistía en ayudar a vestirse y desvestirse al rey y en acompañarle cuando salía en coche.   [119] *hechura:* una persona respecto de otra, que la protege y a quien debe su empleo, dignidad y fortuna.

(42) Alfredo Rodríguez López-Vázquez señala la incongruencia de este pasaje. El duque Octavio conoce perfectamente a don Diego y además sabe que es el padre de don Juan, pues nada más llegar de Nápoles el duque se había alojado en su casa a petición del rey, coincidiendo precisamente con la orden de destierro para don Juan (vv. 1064-1065).

	y de aqueste tronco[120] rama.	2590
	Mirad por él.	
OCTAVIO.	Yo lo haré,	
	gran señor, como lo mandas.	
REY.	Venid conmigo, don Diego.	
DON DIEGO.	[*Aparte.*]	
	(¡Ay, hijo, qué mal me pagas	
	el amor que te he tenido!)	2595
REY.	Duque...	
OCTAVIO.	Gran señor...	
REY.	Mañana	
	vuestras bodas se han de hacer.	
OCTAVIO.	Háganse, pues tú lo mandas.[(43)]	

(*Vase el* REY, *y* DON DIEGO, *y sale* GASENO *y* AMINTA.)

GASENO.	Este señor nos dirá	
	dónde está don Juan Tenorio.	2600
	Señor, ¿si está por acá	
	un don Juan, a quien notorio	
	ya su apellido será?	
OCTAVIO.	Don Juan Tenorio diréis	
AMINTA.	Sí, señor; ese don Juan.	2605

---

[120] El rey señala a don Diego.

(43) La crítica ha llamado la atención sobre este pasaje. ¿Con quién se casa el duque Octavio? Nada dice el rey sobre la suspensión del compromiso entre don Juan e Isabela; parece que de nuevo estamos ante una incongruencia en el desarrollo del drama, pues Octavio, de momento, es el único desparejado. Por otro lado, el texto de *TL* introduce ahora una escena entre don Diego y el marqués de la Mota (véase el documento n.° 16), en la que el marqués explica al padre de don Juan la burla de la que fue objeto por parte de su hijo. Esta escena, inexistente en *B*, añade al desarrollo de la obra el conocimiento, por parte de don Diego, del mayor crimen cometido por su hijo: traicionó a su mejor amigo, es el verdadero asesino del Comendador e intentó violar a doña Ana.

OCTAVIO.   Aquí está. ¿Qué le queréis?
AMINTA.   Es mi esposo ese galán.
OCTAVIO.   ¿Cómo?
AMINTA.   Pues, ¿no lo sabéis,
                siendo del alcázar vos?
OCTAVIO.   No me ha dicho don Juan nada.   2610
GASENO.   ¿Es posible?
OCTAVIO.   Sí, por Dios.
GASENO.   Doña Aminta es muy honrada,
                cuando se casen los dos,
                que cristiana vieja[121] es
                hasta los güesos, y tiene   2615
                de la hacienda el interés,

                ....

                más bien que un conde, un marqués.
                        Casóse don Juan con ella,
                y quitósela a Batricio.   2620
AMINTA.   Decid cómo fue doncella
                a su poder.**(44)**
GASENO.   No es juicio
                esto, ni aquesta querella.[122]
OCTAVIO.   [*Aparte.*]
                        (Ésta es burla de don Juan,
                y para venganza mía   2625
                éstos diciéndola están.[123])

---

[121] Sin mezcla de sangre judía o mora. Sobre el orgullo de los labradores de ser cristianos viejos, véase **(30)**.   [122] Gaseno explica a su hija que ésa no es cuestión a debatir en ese momento.   [123] Octavio —como Isabela con Tisbea— ve en la ridícula petición de Aminta una ocasión de frustrar el matrimonio de don Juan con la duquesa.

(44) Aminta habla en tercera persona sobre sí misma, imitando el afectado hablar de los nobles. Del mismo modo habla Gaseno, de forma que se introducen en la acción notas cómicas: dos campesinos, ataviados como tales, que intentan parecer nobles, confían en el valor de su sangre de cristianos viejos para acceder a la categoría de nobles. Las clases sociales en el siglo XVII estaban totalmente cerradas.

¿Qué pedís, al fin?

GASENO.   Querría,
porque los días se van,
   que se hiciese el casamiento,
o querellarme ante el rey.   2630

OCTAVIO.   Digo que es justo ese intento.

GASENO.   Y razón y justa ley.

OCTAVIO.   [*Aparte.*]
(Medida a mi pensamiento
   ha venido la ocasión.)
En el Alcázar tene[mos]   2635
bodas.

AMINTA.   ¿Si las mías son?

OCTAVIO.   Quiero, para que acertemos,
valerme de una invención.
   Venid donde os vestiréis,
señora, a lo cortesano,(45)   2640
y a un cuarto del rey saldréis
conmigo.

AMINTA.   Vos de la mano
a don Juan me llevaréis.

OCTAVIO.   Que desta suerte es cautela.

GASENO.   El arbitrio¹²⁴ me consuela.   2645

OCTAVIO.   [*Aparte.*]
(Éstos venganza me dan

---

¹²⁴ *arbitrio:* solución.

(45) Vestirse a lo cortesano es vestirse al gusto de la Corte. Aminta,
que aparece en escena vestida de campesina, llevaría unas faldas largas,
sin adornos, combinadas con una blusa sencilla. Para vestirse a lo cortesano, Aminta debía usar un guardainfante que daba forma acampa-
nada a la basquiña, falda exterior que lo cubría. El talle estaba ceñido
por un corsé que también oprimía el pecho. El vestido, largo, era de
telas caras: seda, brocado o tafetán. Durante el siglo XVII se fue impo-
niendo además la moda de los escotes, que dejaban al aire los hombros
y el cuello.

de aqueste traidor don Juan
y el agravio de Isabela.) (*Vanse.*)

(*Sale* DON JUAN *y* CATALINÓN.)

CATALINÓN.	¿Cómo el rey te recibió?	
DON JUAN.	Con más amor que mi padre.	2650
CATALINÓN.	¿Viste a Isabela?	
DON JUAN.	También.	
CATALINÓN.	¿Cómo viene?	
DON JUAN.	Como un ángel.	
CATALINÓN.	¿Recibióte bien?	
DON JUAN.	El rostro	

bañado de leche y sangre,
como la rosa que al alba   2655
[revienta la verde cárcel].

CATALINÓN.   Al fin, ¿esta noche son
las bodas?(46)
DON JUAN.   Sin falta.
CATALINÓN.   [Si antes]
hubieran sido, no hubieras,
señor, engañado a tantas.   2660
Pero tú tomas esposa,
señor, con cargas muy grandes.
DON JUAN.   Di, ¿comienzas a ser necio?
CATALINÓN.   Y podrás muy bien casarte
mañana, que hoy es mal día.   2665
DON JUAN.   Pues, ¿qué día es hoy?
CATALINÓN.   Es martes.[125]

---

[125] Recuérdese el dicho «en martes, ni te cases ni te embarques».

(46) La alusión a la noche señala el paso de un día de la acción anterior a la presente. Al Comendador le había prometido devolverle la visita esa misma noche y así la acción de nuevo va a tomar una dimensión sobrenatural. La escena se vuelve oscura y de la calle pasan a la iglesia donde se encuentra el sepulcro de don Gonzalo.

DON JUAN.	Mil embusteros y locos
	dan en esos disparates.
	Sólo aquél llam[o] mal día,
	acïago y detestable, 2670
	en que no tengo dineros;
	que lo demás es donaire.[126]
CATALINÓN.	Vamos, si te has de vestir,
	que te aguardan y ya es tarde.
DON JUAN.	Otro negocio tenemos 2675
	que hacer, aunque nos aguarden.
CATALINÓN.	¿Cuál es?
DON JUAN.	Cenar con el muerto.
CATALINÓN.	¡Necedad de necedades!
DON JUAN.	¿No ves que di mi palabra?
CATALINÓN.	Y cuando se la quebrantes, 2680
	¿qué importa? ¿Ha de pedirte
	una figura de jaspe
	la palabra?
DON JUAN.	Podrá el muerto
	llamarme a voces infame.
CATALINÓN.	Ya está cerrada la iglesia. 2685
DON JUAN.	Llama.
CATALINÓN.	¿Qué importa que llame?
	¿Quién tiene de abrir, que están
	durmiendo los sacristanes?
DON JUAN.	Llama a ese postigo.
CATALINÓN.	Abierto
	está.
DON JUAN.	Pues entra.
CATALINÓN.	Entre un fraile 2690
	con su hisopo y estola.
DON JUAN.	Sígueme y calla.
CATALINÓN.	¿Que calle?
DON JUAN.	Sí.

---

[126] *donaire:* chiste, broma.

CATALINÓN.   [Ya callo.] Dios en paz
                    destos convites me saque.
                    ¡Qué escura que está la iglesia,   2695

(*Entran por una puerta, y salen por otra.*)

                    señor, para ser tan grande!
                    ¡Ay de mí! ¡Tenme, señor,
                    porque de la capa me asen!

(*Sale* DON GONZALO *como de antes*[127]*, y encuéntrase con ellos.*)

DON JUAN.   ¿Quién va?
DON GONZALO.   Yo soy.
CATALINÓN.   ¡Muerto estoy!
DON GONZALO.   El muerto soy; no te espantes.   2700
                    No entendí[128] que me cumplieras
                    la palabra, según haces
                    de todos burla.
DON JUAN.   ¿Me tienes
                    en opinión de cobarde?[129]
DON GONZALO.   Sí, que aquella noche huiste   2705
                    de mí cuando me mataste.
DON JUAN.   Huí de ser conocido;
                    mas ya me tienes delante.
                    Di presto lo que me quieres.
DON GONZALO.   Quiero a cenar convidarte.   2710
CATALINÓN.   Aquí excusamos la cena,
                    que toda ha de ser fiambre,[130]
                    pues no parece[131] cocina.
                    ....

---

[127] *como de antes:* de la misma manera que se había aparecido en la posada de don Juan.   [128] *no entendí:* no creí.   [129] Don Juan entiende el valor y la cobardía al revés que el resto de los personajes Sus burlas y traiciones le envalentonan, pero el resto de los personajes le ha dicho directa o indirectamente que el cobarde se define por su calidad de traidor.   [130] *fiambre:* con doble sentido, de 'comida fría' y en referencia al muerto.   [131] *parece:* aparece.

DON JUAN.	Cenemos.
DON GONZALO.	Para cenar 2715
	es menester que levantes
	esa tumba.
DON JUAN.	Y si te importa,[132]
	levantaré esos pilares.
DON GONZALO.	Valiente estás.
DON JUAN.	Tengo brío
	y corazón en las carnes. 2720
CATALINÓN.	Mesa de Guine[a][133] es ésta.
	Pues, ¿no hay por allá quien lave?
DON GONZALO.	Siéntate.
DON JUAN.	¿Adónde?
CATALINÓN.	Con sillas
	vienen ya dos negros pajes.

(*Entran dos enlutados con dos sillas.*)

	¿También acá se usan lutos 2725
	y bayeticas de Flandes?[134]
DON GONZALO.	Siéntate [tú].
CATALINÓN.	Yo, señor,
	he merendado esta tarde.
DON GONZALO.	No repliques.
CATALINÓN.	No replico.
	(¡Dios en paz desto me saque!) 2730
	¿Qué plato es éste, señor?
DON GONZALO.	Éste plato es de alacranes
	y víboras.
CATALINÓN.	¡Gentil plato!
DON GONZALO.	Éstos son nuestros manjares.
	¿No comes tú?
DON JUAN.	Comeré, 2735

---

[132] *Y si te importa:* Y si quieres. El miedo envalentona a don Juan. [133] *mesa de Guinea:* alude al color negro, representativo de una cena macabra. [134] *bayeticas de Flandes:* en la España del XVII se usaban para los lutos estas telas negras, procedentes de Flandes.

	si me dieses áspid y áspides	
	cuantos el infierno tiene.	
DON GONZALO.	También quiero que te canten.	
CATALINÓN.	¿Qué vino beben acá?	
DON GONZALO.	Pruébalo.	

CATALINÓN.   Hiel y vinagre   2740
es este vino.

DON GONZALO.   Este vino
exprimen nuestros lagares.

(*Cantan.*)

   Adviertan los que de Dios
juzgan los castigos grandes
que no hay plazo que no llegue,   2745
ni deuda que no se pague.

CATALINÓN.   ¡Malo es esto, vive Cristo!,
que he entendido este romance,
y que con nosotros habla.

DON JUAN.   Un yelo el pecho me [parte].   2750

(*Cantan.*)

   Mientras en el mundo viva,
no es justo que diga nadie:
«¡qué largo me lo fiáis!»
siendo tan breve el cobrarse.[135]

CATALINÓN.   ¿De qué es este guisadillo?   2755
DON GONZALO. De uñas.
CATALINÓN.   De uñas de sastre[136]
será, si es guisado de uñas.

DON JUAN.   Ya he cenado; haz que levanten
la mesa.

---

[135] Los versos de la canción anterior y éstos resumen el tema de la obra. Nadie puede aferrarse a la juventud como disculpa para cometer crímenes, ni ampararse en la lejana muerte como compañera de la vejez para arrepentirse. El hombre ha de velar siempre porque la hora de la muerte es incierta. [136] *uñas de sastre:* alude a la fama de ladrones que tenían los sastres, blanco de burlas en la literatura de la época. Las uñas del guisado pertenecieron a los sastres que están penando sus culpas en el infierno.

DON GONZALO.   Dame esa mano;
no temas, la mano dame.[47]   2760

DON JUAN.   ¿Eso dices? ¿Yo temor?
¡Qué me abraso! ¡No me abrases
con tu fuego!

DON GONZALO.   Éste es poco
para el fuego que buscaste.
Las maravillas de Dios   2765
son, don Juan, investigables,[137]
y así quiere que tus culpas
a manos de un muerto pagues;[138]
y si pagas desta suerte,
....   2770
ésta es justicia de Dios:
«Quien tal hace, que tal pague.»

DON JUAN.   ¡Que me abraso! ¡No me aprietes!
Con la daga he de matarte.
Mas, ¡ay! que me canso en vano   2775
de tirar golpes al aire.
A tu hija no ofendí,
que vio mis engaños antes.

DON GONZALO.   No importa, que ya pusiste
tu intento.

DON JUAN.   Deja que llame   2780
quien me confiese y absuelva.

DON GONZALO.   No hay lugar; ya acuerdas tarde.

DON JUAN.   ¡Que me quemo! ¡Que me abraso!
¡Muerto soy! (*Cae muerto.*)

CATALINÓN.   No hay quien se escape;
que aquí tengo de morir   2785
también por acompañarte.

---

[137] *investigables:* que no pueden ser averiguadas.   [138] El mismo don Gonzalo había dicho que se encontraba *en gracia*, por lo que el fuego es sólo para don Juan. Del Comendador se sirve Dios para hacer justicia por haber tomado don Juan su nombre en vano.

(47) Véase **(40)**.

DON GONZALO.   Ésta es justicia de Dios:
                  «Quien tal hace, que tal pague.»

(*Húndese el sepulcro con* DON JUAN *y* DON GONZALO, *con mucho
               ruido,*[48] *y sale* CATALINÓN *arrastrando.*)

CATALINÓN.   ¡Válgame Dios! ¿Qué es aquesto?
               Toda la capilla se arde,   2790
               y con el muerto he quedado,
               para que le vele y guarde.
               Arrastrando como pueda,
               iré a avisar a su padre.
               ¡San Jorge, san *Agnus Dei*,[139]   2795
               sacadme en paz a la calle! (*Vase.*)

(*Sale el* REY, DON DIEGO *y acompañamiento.*)

DON DIEGO.   Ya el marqués, señor, espera
               besar vuestros pies reales.
REY.   Entre luego, y avisad
               al conde,[140] porque no aguarde.   2800

(*Sale* BATRICIO *y* GASENO.)

BATRICIO.   ¿Dónde, señor, se permite[n]
               desenvolturas tan grandes,
               que tus criados afrenten
               a los hombres miserables?

---

[139] *¡san Agnus Dei!:* nueva invocación a santos inverosímiles.   [140] Se refiere a don
Juan, nombrado conde de Lebrija.

(**48**) Uno de los elementos más sencillos que componían la tramoya en
la puesta en escena del drama es el escotillón, una especie de trampilla
que se había utilizado para las apariciones en las comedias de santos y
magia. En *El burlador* se hace explícita en esta acotación la utilización de
esta tramoya. Por la trampilla del escenario desaparece don Juan, hun-
diéndose en el infierno.

REY.   ¿Qué dices?
BATRICIO.   Don Juan Tenorio,   2805
                        alevoso y detestable,
                        la noche del casamiento,
                        antes que le consumase,
                        a mi mujer me quitó;
                        testigos tengo delante.   2810

              (*Sale* TISBEA, *y* ISABELA, *y acompañamiento.*)

TISBEA.   Si vuestra alteza, señor,
                        de don Juan Tenorio no hace
                        justicia, a Dios y a los hombres,
                        mientras viva, he de quejarme.
                        Derrotado le echó el mar;   2815
                        dile vida y hospedaje,
                        y pagóme esta amistad
                        con mentirme y engañarme
                        con nombre de mi marido.
REY.   ¿Qué dices?
ISABELA.   Dice verdad[es].   2820

              (*Sale* AMINTA *y el* DUQUE OCTAVIO.)

AMINTA.   ¿Adónde mi esposo está?
REY.   ¿Quién es?
AMINTA.   Pues, ¿[aún] no lo sabe?
                        El señor don Juan Tenorio,
                        con quien vengo a desposarme,
                        porque me debe el honor,   2825
                        y es noble y no ha de negarme.
                        Manda que nos desposemos.[141]
              ....

              (*Sale el* MARQUÉS DE LA MOTA.)

MOTA.   Pues es tiempo, gran señor,

---

[141] Aminta resulta ridícula al ordenarle al mismísimo rey que la case con don Juan.

	que a luz verdades se saquen,	2830
	sabrás que don Juan Tenorio	
	la culpa que me imputaste	
	tuvo él, pues como amigo,	
	pudo el cruel engañarme,	
	de que tengo dos testigos.	2835
REY.	¿Hay desvergüenza tan grande?	
	Prendelde y matalde luego.	

....

DON DIEGO.	En premio de mis servicios	
	haz que le prendan y pague	2840
	sus culpas, porque del cielo	
	rayos contra mí no bajen,	
	si es mi hijo tan malo.[142]	
REY.	¡Esto mis privados hacen!	

(*Sale* CATALINÓN.)

CATALINÓN.	Escuchad, oíd, señores,	2845
	el suceso más notable	
	que en el mundo ha sucedido,	
	y en oyéndome, matadme.	
	Don Juan, del Comendador	
	haciendo burla, una tarde,[143]	2850
	después de haberle quitado	
	las dos prendas[144] que más valen,	
	tirando al bulto de piedra[145]	
	la barba por ultrajarle,	
	a cenar le convidó.	2855
	¡Nunca fuera a convidarle!	
	Fue el bulto, y convidóle;	
	y agora, porque no os canse,	

---

[142] En su última intervención, don Diego ya pide al rey que cumpla con justicia en los delitos que su hijo ha cometido y que ha ocultado al monarca. Don Diego teme que con su actitud no sólo se esté interponiendo en la justicia terrena, sino también en la divina. [143] *una tarde:* en realidad, el día anterior. [144] El honor y la vida. [145] *bulto de piedra:* la imagen del sepulcro.

	acabando de cenar,	
	entre mil presagios graves,	2860
	de la mano le tomó,	
	y le aprieta hasta quitalle	
	la vida, diciendo: «Dios	
	me manda que así [t]e mate,	
	castigando tus delitos.	2865
	Quien tal hace, que tal pague.»	
REY.	¿Qué dices?	
CATALINÓN.	Lo que es verdad,	
	diciendo antes que acabase[146]	
	que a doña Ana no debía	
	honor, que lo oyeron antes	2870
	del engaño.	
MOTA.	Por las nuevas	
	mil albricias pienso darte.	
REY.	¡Justo castigo del cielo!	
	Y agora es bien que se casen	
	todos, pues la causa es muerta,	2875
	vida de tantos desastres.	
OCTAVIO.	Pues ha enviudado Isabela,	
	quiero con ella casarme.	
MOTA.	Yo con mi prima.	
BATRICIO.	Y nosotros	
	con las nuestras, porque acabe	2880
	El convidado de piedra.[147]	
REY.	Y el sepulcro se traslade	
	en San Francisco[148] en Madrid,	
	para memoria más grande.**(49)**	

(handwritten annotation: "las bodas")

---

[146] *acabase:* muriese.   [147] Con este título se representaba la obra en 1625 y 1626, por Pedro Ossorio y Francisco Hernández Galindo.   [148] La iglesia de San Francisco el Grande, en Madrid, fundada hacia el siglo XIII; en sus dependencias se encontraban los enterramientos de personas de la alta nobleza.

(49) Final típico del teatro barroco: todos los protagonistas se encuentran en escena y se restablece el orden alterado, aunque ya nunca será el mismo que al principio. Ante el rey han llegado todas las víctimas de don Juan —a excepción de doña Ana— para pedirle justicia. El rey aparece como el monarca engañado por su privado debido, sobre todo, a su propia incapacidad de gobierno, que queda subrayada en la acción dramática con varias exclamaciones de sorpresa: «¿Qué dices?» (vv. 2805, 2820 y 2867). Primero es el campesino Batricio quien le reprocha su actitud; después la pescadora Tisbea provoca la misma pregunta del rey, que es inmediatamente respondida por Isabela: «Dice verdades» (v. 2820). Aún queda más: otra plebeya, Aminta, exige al rey que obedezca su orden. Otro noble, el marqués de la Mota, aporta un testimonio más sobre los delitos de don Juan. Ante tan gran evidencia, el rey sentencia la muerte de don Juan. Pero el monarca llega tarde para impartir justicia. El castigo al burlador no ha sido humano, sino divino, y para explicarlo entra en escena Catalinón. Su testimonio provoca la última sorpresa del monarca. Como Dios se ha ocupado del merecido castigo, el rey dispone un nuevo orden en las bodas de todos, ya que el problema, sin más, no existe. Y el verdadero autor de la venganza de todos, don Gonzalo, recibe un galardón póstumo por su acción y su sepulcro se traslada a una de las más importantes iglesias de Madrid.

Documentos y juicios críticos

1. *Los temas del teatro de nuestro Siglo de Oro se encuentran frecuentemente en alguna composición incluida en nuestro romancero. Así ocurre con* El convidado de piedra, *cuya génesis han visto los críticos en un romance tradicional que conoce muchas versiones en diversos puntos de España. En León, Juan Menéndez Pidal recogió el siguiente:*

> Pa misa diba un galán
> caminito de la iglesia;
> no diba por oír misa
> ni pa estar atento a ella,
> que diba por ver las damas
> las que van guapas y frescas.
> En el medio del camino
> encontró una calavera;
> mirárala muy mirada
> y un gran puntapié le diera:
> arrengañaba los dientes
> como si ella se riera.
> —Calavera, yo te brindo
> esta noche a la mi fiesta.
> —No hagas burla, caballero;
> mi palabra doy por prenda.
>   El galán, todo aturdido,
> para casa se volviera;
> todo el día anduvo triste,
> hasta que la noche llega.

De que la noche llegó,
mandó disponer la cena.
Aún no comiera un bocado,
cuando pican a la puerta;
manda un paje de los suyos
que saliese a ver quién era.
—Dile, criado, a tu amo
que si del dicho se acuerda.
—Dile que sí, mi criado,
que entre pa'cá norabuena.
    Pusiérale silla de oro,
su cuerpo sentara en ella;
pone de muchas comidas
y de ninguna comiera.
—No vengo por verte a ti,
ni por comer de tu cena;
vengo a que vayas conmigo
a media noche a la iglesia.
    A las doce de la noche
cantan los gallos afuera,
a las doce de la noche
van camino de la iglesia.
    En la iglesia hay en el medio
una sepultura abierta.
—Entra, entra, el caballero
entra sin recelo 'n ella;
dormirás aquí conmigo,
comerás de la mi cena.
—Yo aquí no me meteré,
no me ha dado Dios licencia.
—Si no fuera porque hay Dios,
y el nombre de Dios apelas,
y por ese relicario
que sobre tu pecho cuelga,
aquí habías de entrar vivo,
quisieras o no quisieras.
Vuélvete para tu casa,
villano y de mala tierra;
y otra vez que encuentres otra,
hácele la reverencia,
y rézale un pater noster

y échala pa la huesera;
así querrás que a ti te hagan
cuando vayas de esta tierra.

Ramón Menéndez Pidal: «Sobre los orígenes de *El convidado de piedra*», *Estudios literarios*, Madrid, 1920, p. 92.

2. *En 1602 Luis Alfonso de Carvallo, en el* Cisne de Apolo *(Medina del Campo), define de la siguiente manera las nuevas tendencias de la comedia:*

Y porque de esta materia será mejor no decir nada que decir poco, sólo diré lo que común y generalmente debe tener la comedia, que son tres partes principales en que se divide, las cuales llaman en griego *prótasis, epítasis* y *catástrofe*; [...] la prótasis es el principio y crecimiento de la comedia, en la cual se comienza a ir representando la historia o ficción, de modo que vaya comenzando cosas y no acabando ningún suceso, mas antes ir entablándolos de tal modo que no se puedan fácilmente coligir los no pensados fines dellos. En la epítasis, que es la segunda parte, como existencia de la comedia, hase de proseguir la materia con diferentes sucesos de los que se pudieran pensar, y otros varios y revueltos casos, como haciendo ñudos, procurando tener siempre el ánimo de los oyentes suspenso, ya alegres, ya tristes, ya admirados, y con deseo de saber el fin de los sucesos, porque cuanto esta suspensión y deseo fuere mayor, le será más agradable después el fin, por serlo siempre lo que es más deseado. Es la tercera parte catástrofe, cuando la comedia va declinando para acabarse, y en ella todos estos enredos se van descubriendo y conociendo por modos muy diferentes y extraordinarios de lo que imaginarse pudiera [...].

Citado por Ignacio Arellano: *Historia del Teatro Español del siglo XVII*, Madrid, Cátedra, 1995, p. 149.

3. *En 1620 Lope de Vega publicó su comedia* Lo fingido verdadero *y se la dedicó a su discípulo, Tirso de Molina. En dicha dedicatoria el Fénix destaca, entre otras virtudes del mercedario, su ingenio natural.*

Entre los estudios de las sagradas letras también ha lucido en V.P. el de las humanas, de que tenemos claros ejemplos [...].
Las comedias han dado licencia en España a que muchos que ignoran consignan algún nombre, aura vulgar y desvanecimiento ridículo; pero

bien saben los que saben que no saben, y que por la mayor parte se agrada el pueblo de muchas cosas que son exteriores al poeta [...].

Que quien tiene arte y natural podrá felicemente escribir en todas, y no
tener la diferencia de ingenio que piden las sales y facecias destas fábulas.
Algunas historias divinas he visto de V.P., en este género de poesía, por las
cuales vine en conocimiento de su fertilísimo ingenio, pues a cualquiera
cosa que le aplica, le halla dispuesto, y con la afición que desta correspondencia nace, aunque a los envidiosos parezca imposible simpatía [...].

Lo fingido verdadero, tragicomedia de la vida y martirio de San Ginés re-
presentante, doy a la estampa con el nombre de V.P., y con muchas razones para que sea suya, a pesar de los que envidian sus obras, que tantos
bien intencionados califican; haciendo elección de historia divina, así por
su profesión como por haberlas escrito tan felizmente, escureciendo los
que se valen de Edipos y Tiestes, que mejor dijera de los caballos y car-
pinteros [...].

Lope de Vega Carpio, *Lo fingido verdadero,* edizione e
introduzione di María Teresa Cattaneo, Roma, Bulzoni
Editore, 1992, pp. 55-56.

4.   *Matías de los Reyes, autor teatral y amigo personal de Tirso de Molina, firma en
     1622 la dedicatoria que precede a* El agravio agradecido, *dentro del volumen*
     Seis comedias. *Dirigida a fray Gabriel Téllez, esta dedicatoria revela algunos
     datos de la vida de Tirso. Se han modernizado las grafías.*

Es cara[1] la patria a todo hombre, aunque en la extranjera goce de todas
comodidades. Díganlo las fieras robadas de la parte en que vieron el primer sol, las aves remontadas por los aires y los peces por los mares, pues
siempre anhelan por volver a sus selvas y bosques, a sus patrios nidos y a
sus conocidas cavernas. Pues ¿qué mucho lo haga el hombre por volver al
suyo, a la conversación suave de sus contemporáneos amigos? De aquí in-
ferirá V.P. mis deseos en volver a esa villa (patria suya y mía),[2] de quien
vivo ausente, impulso de obligaciones de mi profesión; y cuando este natural amor no me llamara, la conversación de V.P. (imán de mi voluntad)
era bastante para afectar más este mi deseo.

---

[1] *cara*: querida.
[2] Se refiere a Madrid, ciudad natal de Tirso de Molina y de su amigo Matías de los
Reyes.

Cuando estuve en esa Corte el año pasado, ofrecí cumplir su mandato en volverme a ella con toda presteza; esta oferta no se ha logrado hasta ahora, puesto que[3] la esperanza me asegura brevedad [...]. Si nuestra comunicación fue desde los rudimentos de las primeras letras contraída[4], sin duda será eternamente estable [...]. Y aunque es verdad que entre la luz del sol y la luna hay la diferencia que entre el que recibe y da, ambos en su ejercicio esencialmente corren a un objeto, que es alumbrar: no dejo de presumir que nuestras inclinaciones se simbolizan, si bien con la distinción de los dos luminares de mi símil, pues los escritos de V.P. han esclarecido la edad nuestra cuanto ellos publican, en cuya alabanza ceso [...].

La inclinación, digo, de V.P. ha seguido la mía (no lo superior, que mi ingenio no es ave que tanto se remonta) en escribir comedias; si ejercicio en nuestros tiempos poco estimado (quizá por su mal uso), debiéndose estimar por lo que V.P. de su esencia tiene tan bien apeado con sus continuos estudios. Las que hasta hoy tengo escritas son seis solas, por haberme acobardado la poca estima que los autores hacen de esta mercaduría, no sea feriando mercader grueso y de nombre (si bien es verdad que estas pocas pasaron ya su carrera, como testificarán muchos de aquellos a cuyas manos llegaren). Entre ellas es una *El agravio agradecido*, [...] que es la misma que a V.P. leí en su celda, que por haberme dicho bien de ella, me atrevo a juntarla con las otras cinco que doy a la estampa, y está debajo de su amparo, a quien advierto que, si no es acertada, sus defectos serán clientes de la aprobación de V.P. que entonces les dio, y así correrá por cuenta suya la defensa. [...]

Cierto[5] en esto, no me prometo mal suceso del amparo y patrocinio de V.P., a quien guarde Dios con el aumento que deseo. Villanueva de la Serena y septiembre, 21 de 1622.

> En Gerald E. Wade, «La dedicatoria de Matías de los Reyes a Tirso de Molina», *Revista Estudios*, 24 (1952), pp. 589-593.

5. *En la tercera parte de la* Santa Juana, *Tirso de Molina introduce un personaje de características semejantes a don Juan, don Luis. Frente al protagonista de* El

---

[3] *puesto que:* aunque.
[4] Matías de los Reyes recuerda aTirso de Molina su compromiso de amistad y correspondencia, que se remonta a la infancia, cuando ambos aprendían a leer y escribir.
[5] *Cierto:* seguro.

burlador, *don Luis escucha las advertencias de una voz de ultratumba que le avisa, por experiencia, del castigo que puede sufrir si continúa con su proceder. Luis Vázquez llama la atención sobre el pasaje acerca de una posible relación entre la* voz *y el protagonista de* El burlador:

(*Sale un alma de galán.*)

[...]

Voz.	Aunque mienten las señales	
	no soy cuerpo, un alma sí;	
	un amigo y el más cierto	760
	vuestro fui.	
Luis.	¿Qué fugitivo	
	temor mi rostro ha cubierto?	
	¿Quién eres, que entierra el vivo	
	su memoria con el muerto?	
Voz.	Soy don Juan, el que en la corte	765
	en tierna edad y con vos,	
	hice de mi gusto el norte.	
Luis.	Amigo caro, ¡por Dios!,	
	que tu rigor se reporte.	
	Y dime: ¿en qué parte estás?	770
	¿Entre almas gloriosas?	
Voz.	Menos.	
Luis.	¿Entre condenados?	
Voz.	Más.	
Luis.	¿En el Purgatorio? Buenos	
	indicios de fe tendrás.	775
Voz.	Allí estoy por atrevido,	
	por libre, por descortés	
	a mi padre.	
Luis.	¿Y ha tenido	
	muchas penas quien lo es,	
	alma, por que yo lo he sido?	780
Voz.	Tantas tengo, que al momento	
	me acordé de vos y quise	
	daros algún sentimiento, [...]	
	os he venido a avisar,	
	que experiencia soberana	
	y memoria os pienso dar.	790

LUIS. ¿Es tan grande y inhumano,
como el fuego del Infierno
el del Purgatorio?

VOZ.   Hermano:
aunque regalado y tierno,
llegad la vuestra a mi mano.   795

(Danse las manos y sale dellas una llama de fuego.)

LUIS. ¡Ay, que me abraso y me quemo,
no sólo la mano y palma,
sino el alma! Morir temo.

VOZ. ¡Hombre: que os avisa un alma!
Mudad el vicioso extremo.   800

Tirso de Molina: *La Santa Juana,* ed. de Pilar Pa-
lomo, Madrid, Biblioteca de Autores Españoles, 1970,
pp. 341-342.

6. *Hacia 1624 Tirso de Molina publicó su obra* Cigarrales de Toledo, *de carácter misceláneo. En ella se incluye la obra dramática* El vergonzoso en palacio, *
donde uno de los personajes, doña Serafina, como actriz de gran vocación que es,
defiende la comedia:*

¿Qué fiesta o juego se halla,
que no le ofrezcan los versos?   750
En la comedia, los ojos
¿no se deleitan y ven
mil cosas que hacen que estén
olvidados tus enojos?
La música, ¿no recrea   755
el oído, y el discreto
no gusta allí del conceto
y la traza que desea?
Para el alegre, ¿no hay risa?
Para el triste, ¿no hay tristeza?   760
Para el agudo, ¿agudeza?
Allí el necio, ¿no se avisa?
El ignorante, ¿no sabe?
¿No hay guerra para el valiente,

consejos para el prudente,   765
y autoridad para el grave?
          Moros hay, si quieres moros;
si apetecen tus deseos
torneos, te hacen torneos;
si toros, correrán toros.   770
          ¿Quieres ver los epítetos
que de la comedia he hallado?
De la vida es un traslado,
sustento de los discretos,
          dama del entendimiento,   775
de los sentidos banquete,
de los gustos ramillete,
esfera del pensamiento,
          olvido de los agravios,
manjar de diversos precios,   780
que mata de hambre a los necios
y satisface a los sabios.
          Mira lo que quieres ser
de aquestos dos bandos.

Tirso de Molina: *El vergonzoso en palacio. El burlador de Sevilla*, ed. de Américo Castro, Madrid, Espasa-Calpe, 1980, 11.ª edición, pp. 74 y 75.

7. *Una vez finalizada la representación de* El vergonzoso en palacio, *se produce un diálogo entre los asistentes a la fiesta en el que mientras unos alaban la comedia (entre ellos el autor), otros la condenan. Al final, la disertación se convierte en una defensa y elogio de Tirso de Molina a su maestro, Lope de Vega:*

Con la apacible suspensión de la referida comedia, la propiedad de los recitantes, las galas de las personas y la diversidad de sucesos, se les hizo el tiempo tan corto que, con haberse gastado cerca de tres horas, no hallaron otra falta sino la brevedad de su discurso; esto, en los oyentes desapasionados y que asistían allí más para recrear el alma con el poético entretenimiento que para censurarle; que los zánganos de la miel, que ellos no saben labrar y hurtan a las artificiosas abejas, no pudieron dejar de hacer de las suyas y, con murmuradores susurros, picar en los deleitosos panales del ingenio. Quién dijo que era demasiadamente larga, y quién impropia [...].

—Entre los muchos desaciertos —dijo un presumido [...]— el que más me acaba la paciencia es ver cuán licenciosamente salió el poeta de los límites y leyes con que los primeros inventores de la comedia dieron ingenioso principio a este poema; pues siendo así que éste ha de ser una acción cuyo principio, medio y fin acaezca a lo más largo en veinticuatro horas sin movernos de un lugar, nos ha encajado mes y medio, por lo menos, de sucesos amorosos. [...].

Iba a proseguir el malicioso arguyente cuando, atajándole don Alejo, [...] le respondió:

—Poca razón habéis tenido, pues [...] la comedia presente ha guardado las leyes de lo que ahora se usa. Y a mi parecer —conformándome con el de los que sin pasión sienten— el lugar que merecen las que ahora se representan en nuestra España, comparadas con las antiguas, les hace conocidas ventajas, aunque vayan contra el instituto primero de sus inventores; porque, si aquéllos establecieron que una comedia no representase sino la acción que moralmente puede suceder en veinticuatro horas, ¿cuánto mayor inconveniente será que, en tan breve tiempo, un galán discreto se enamore de una dama cuerda, la solicite, regale y festeje y que, sin pasar siquiera un día, la obligue y disponga de suerte sus amores que, comenzando a pretenderla por la mañana, se case con ella a la noche? ¿Qué lugar tiene para fundar celos, encarecer desesperaciones, consolarse con esperanzas, y pintar los demás afectos y accidentes, sin los cuales el amor no es de ninguna estima? Ni ¿cómo se podrá preciar un amante de firme y leal, si no pasan algunos días, meses y aun años en que se haga prueba de su constancia?

Estos inconvenientes mayores son, en el juicio de cualquier mediano entendimiento, que el que se sigue de que los oyentes, sin levantarse de un lugar, vean y oigan cosas sucedidas en muchos días. Pero ansí como el que lee una historia en breves planas sin pasar muchas horas se informa de casos sucedidos en largos tiempos y distintos lugares, la comedia, que es una imagen y representación de su argumento, es fuerza que cuando le toma de los sucesos de dos amantes, retrate al vivo lo que le pudo acaecer y, no siendo esto verisímil[6] en un día, tiene obligación de fingir pasan los necesarios, para que la tal acción sea perfecta; que no en vano se llamó la poesía *pintura viva*, pues, imitando a la muerta, ésta, en el breve espacio de vara y media de lienzo, pinta lejos[7] y distancias, que persuaden a la vista a lo que significan, y no es justo que se niegue la licencia

---

6 *verisímil*: verosímil.
7 *lejos*: lo que está en perspectiva.

que conceden al pincel, a la pluma, siendo ésta tanto más significativa que esotro. [...] Y si me argüís que a los primeros inventores debemos, los que profesamos sus facultades, guardar sus preceptos [...], os respondo que, aunque a los tales se les debe la veneración de haber salido con la dificultad que tienen todas las cosas en sus principios, con todo eso, es cierto que, añadiendo perfecciones a su invención [...], es fuerza que, quedándose la sustancia en pie, se muden los accidentes, mejorándolos con la experiencia. [...] Pues si «en lo artificial», cuyo ser consiste sólo en la mudable imposición de los hombres, puede el uso mudar en los trajes y oficios hasta la sustancia, y «en lo natural» se producen, por medio de los injertos, cada día diferentes frutos, ¿qué mucho que la comedia, a imitación de entrambas cosas, varíe las leyes de sus antepasados e injiera industriosamente lo trágico con lo cómico, sacando una mezcla apacible de estos dos encontrados poemas y que, participando de entrambos, introduzca ya personas graves, como la una, y ya jocosas y ridículas, como la otra? Además que si el ser tan excelentes en Grecia Esquilo y Ennio como entre los latinos Séneca y Terencio bastó para establecer las leyes tan defendidas de sus profesores, la excelencia de nuestra española *Vega*, honra de Manzanares, Tulio de Castilla y Fénix de nuestra nación, los hace ser tan conocidas ventajas en entrambas materias, ansí en la cuantidad como en la cualidad de sus nunca bien conocidos —aunque bien enviados y mal mordidos— estudios, que la autoridad con que se les adelanta es suficiente para derogar sus estatutos.

Y habiendo él puesto la Comedia en la perfección y sutileza que agora tiene, basta *para hacer escuela de por sí* y para que los que nos preciamos de sus discípulos nos tengamos por dichosos de tal maestro y defendamos constantemente su doctrina contra quien con pasión la impugnare. Que si él en muchas partes de sus escritos dice que el no guardar el arte antiguo lo hace por conformarse con el gusto de la plebe —que nunca consintió el freno de las leyes y preceptos—, dícelo por su natural modestia y porque no atribuya la malicia ignorante a arrogancia lo que es política perfección. Pero nosotros, lo uno por ser sus profesores y lo otro por las razones que tengo alegadas —fuera de otras muchas que se quedan en la plaza de armas del entendimiento—, es justo que dél como reformador de la comedia nueva, y a ella como más hermosa y entretenida, los estimemos, lisonjeando al tiempo, para que no borre su memoria.

Tirso de Molina: *Cigarrales de Toledo*, ed. de Luis Vázquez, Madrid, Clásicos Castalia, 1996, pp. 223-30.

8. *En 1625 el Consejo de Castilla prohibió la impresión de comedias en el Reino de
    Castilla. Fue una de las decisiones de la Junta de Reformación creada por el conde-
    duque de Olivares. Tirso de Molina fue denunciado al Consejo y tuvo que mar-
    charse de Madrid y dejar de escribir comedias durante los diez años siguientes, aun-
    que probablemente no llevó a cabo parte de las decisiones de la Junta. La resolución
    del Consejo de Castilla sobre el caso de Tirso de Molina dice así:*

    Maestro Téllez, por otro nombre Tirso, que hace comedias.—Tratóse del es-
    cándalo que causa un fraile mercedario, que se llama el maestro Téllez,
    por otro nombre Tirso, con comedias que hace profanas y de malos in-
    centivos y ejemplos. Y por ser caso notorio se acordó que se consulte a
    S.M. de que el confesor diga al nuncio le eche de aquí a uno de los mo-
    nasterios más remotos de su religión y le imponga excomunión mayor
    latae sententiae para que no haga comedias ni otro ningún género de ver-
    sos profanos. Y esto se haga luego.

    > Ángel González Palencia: «Quevedo, Tirso y las co-
    > medias ante la Junta de Reformación», *Boletín de la Real
    > Academia Española*, 25, 1946, p. 83.

9. *Madame D'Aulnoy, dama francesa que viajó por la España de finales del siglo
    XVII, relató sus vivencias a su prima a través de las cartas que le dirigió, en las que
    le contaba todo lo que su curiosidad sobre los españoles y sus costumbres había des-
    cubierto. La publicación de estas cartas sirve como testimonio único de una época.
    En una ocasión, la dama francesa pide a un español que le describa, objetivamen-
    te, el carácter de los españoles. La respuesta puede ponerse en relación con el carác-
    ter y los móviles de los personajes que aparecen en el drama de Tirso:*

    —Los españoles —dijo— han pasado siempre por ser orgullosos y pre-
    suntuosos. Esa gloria está mezclada de gravedad, y la llevan tan lejos, que
    puede considerarse como un orgullo extremado. Son valientes, sin ser te-
    merarios; hasta se les acusa de no ser bastante atrevidos. Son coléricos,
    vengativos, sin dejar descubrir sus arrebatos; liberales sin ostentación, so-
    brios en la comida, demasiado presuntuosos en la prosperidad, demasia-
    do humildes en la mala fortuna. Adoran a las mujeres, y están tan preve-
    nidos en su favor, que la inteligencia no tiene bastante parte en la
    elección de sus amantes. Son pacientes con exceso, tercos, perezosos, in-
    dependientes, filósofos; en lo demás, gentes de honor y cumplidores de
    su palabra hasta con peligro de su vida. Tienen mucho talento y vivacidad,
    comprenden fácilmente, se explican con sencillez y pocas palabras. Son

prudentes, celosos sin medida, desinteresados, derrochadores, reservados, supersticiosos, muy católicos, por lo menos en la apariencia. Versifican bien y con facilidad. [...] Sus maneras son estudiadas, llenas de afectación; están convencidos de su propio mérito, y jamás rinden justicia al de los otros. Su bravura consiste en mantenerse valientemente a la defensiva, sin retroceder y sin temer el peligro, pero no les gusta buscarlo, y no lo buscan, naturalmente, lo que proviene de su juicio más que de su timidez. Conocen el peligro, y lo evitan. Su mayor defecto, según mi opinión, es la pasión de vengarse y los medios que en ello emplean. Sus máximas sobre eso son absolutamente opuestas al cristianismo y al honor; cuando han recibido una afrenta, hacen asesinar a aquel que se la ha hecho; no se contentan con eso, porque hacen asesinar a aquellos a los que han ofendido, sabiendo bien que si no matan serán muertos. Pretenden justificarse de ello cuando dicen que habiendo tomado su enemigo la primera ventaja, deben asegurarse de la segunda; que si dejasen de hacerlo perjudicarían su reputación; que no se bate uno con un hombre que os ha insultado, y que es necesario ponerse en situación de castigarlo sin correr el riesgo del peligro. Verdad es que la impunidad autoriza esa conducta, porque el privilegio de las iglesias y de los conventos de España sirve para ofrecer un retiro seguro a los criminales y, hasta donde les es posible, cometen sus malas acciones cerca del santuario, para no tener apenas que andar camino hasta el altar, donde se ve a menudo a un malhechor que todavía empuña en la mano el puñal sangrando por el crimen que acaba de cometer.

> Marie Catherine D'Aulnoy: *Relación del viaje de España*, Madrid, Akal, 1986, pp. 95 y 96.

10.   *Como ya se ha señalado en la Introducción, los* autores *de las comedias eran los directores y empresarios de la compañía teatral. Entre sus tareas estaba la de comprar a los poetas sus dramas y adaptarlos, si fuera preciso, a sus propias necesidades. Roque de Figueroa representó, según la nota de la edición príncipe,* El burlador de Sevilla. *Veamos algunos datos de su biografía. Se han modernizado las grafías.*

Roque de Figueroa, natural de la ciudad de Córdoba, nacido de buenos padres, que dándole una distinguida y erudita educación, cuando esperaban se proporcionase para algún destino honroso, haciendo bancarrota en los estudios y aficionándose a la carátula, siguió la carrera histriónica [...]; y dotado de particulares prendas naturales, a breves lances se erigió en autor de compañías, y en calidad de tal discurrió por los más célebres lugares de España y Portugal, como fueron Madrid, Zaragoza, Valencia, Barcelona y Lisboa. No paró aquí, sino que pasando a Italia y a Flandes dio una alegre rociada a las más principales ciudades de aquellos países. Cuando vino de Alemania doña Mariana de Austria a casarse con su tío don Felipe IV, se apegó con su compañía a la comitiva, y en Denia consiguió por intercesión de la nueva reina que se pudiesen representar comedias en Valencia, con la condición que fuesen autos [...].

Pero donde principalmente lucieron las prendas teatrales de Roque fue en Madrid y en el Buen Retiro, en cuyo estanque grande representó comedias y entremeses, como ya se ha dicho, en el vistoso teatro que se erigía en medio de sus aguas por disposición del conde-duque [...].

Casiano Pellicer: *Tratado histórico sobre el origen y progresos de la comedia y del histrionismo en España*, Madrid, 1804, p. 134.

11.   *Mientras que el tema del convite macabro se encuentra directamente en el romance (del documento 1), las fuentes de los personajes de don Juan no son tan claras. Hubo y hay interpretaciones de todos los tipos. El gran estudioso de la leyenda de don Juan, Víctor Said Armesto, alega, en un tono apasionado, que la leyenda de don Juan no es sino la fijación de un tipo español. Por tanto, Tirso tomaría el tema del romance citado y adecuaría la característica del joven que apenas se esboza («no diba por oír misa / ni pa estar atento a ella / que iba por ver las damas / las que van guapas y frescas») a un tipo español que se había paseado desde antiguo por nuestra literatura: sensual, arrojado, burlón..., en fin, alguien digno de ser capaz de reírse de un muerto y de ser castigado por ello:*

No es rancia vulgaridad, sino observación muy atinada, el decir que la figura de don Juan Tenorio arraiga en lo más hondo e ingénito de la raza española. Brote de nuestro genio creador, fruto poético de nuestra herencia ideal, él es el tipo de la raza que todo lo arrolla *porque sí*, la concreción viva de un estado de alma nacional y de una época. La vida disipada y brillante de don Juan, su majeza vistosa, el despliegue impetuoso de sus instintos grandes y resueltos, su vivacidad de impresión y su prontitud en la acción, el recio temple de su alma a la vez jubilosa e imprevisora, sus retos insensatos y sus frases de provocador cinismo, nos dan la visión neta y profunda de aquellos jóvenes hidalgos cuyo ideal jurídico, dijo Ganivet, era «llevar en el bolsillo una carta foral con un solo artículo,

Documentos y juicios críticos

...en estos términos breves, claros y contundentes: _este español_ está ...izado para hacer _lo que le dé la gana_» [...] En tal sentido, tengo para mí que don Juan y don Quijote simbolizan las dos fases de la España antigua, de la España caballeril, inquieta y andariega que tenía «por fueros sus bríos y por premáticas su voluntad». De una parte, el hidalgo romancesco, el idealista heroico, abnegado y sublime, grave en su locura. De la otra, el mozo aventurero, el calavera alegre, el sensualista desbordado, frívolo y truhán. Todo el genio que informaba nuestra alma nacional colectiva se refracta en esas dos figuras. Don Quijote tiene por solar la España castellana [...]. Don Juan tiene su cuna en la España andaluza, la meridional, la del ardiente sol incentivo de los nervios, la España del rumbo y la guapeza, con su alegría bulliciosa, sin frenos para el amor, imprevisora, traviesa y desmandada, pero siempre hidalga y tan pródiga de su vida como de la ajena. El caballero de la Mancha es un iluso que lleva dentro a un héroe. El caballero sevillano es un hidalgo que lleva dentro a un pícaro [...].

Don Juan, como todos los colosos de la estética, es nacional y universal a un tiempo y de ahí su valor permanente. Y es nacional sin que el españolismo desvirtúe en él lo humano, antes dándole más brillante entonación. ¿Por qué, si no, don Juan fue aquí tan susceptible de acrecentamiento, de persistencia y de arraigo, hasta el punto de enseñorearse entre nosotros con más furor que en tierra alguna?... Antójaseme que si este gran rebelde no llevase consigo la esencia, el sello original y fuerte de la raza, no sería de todos los héroes poéticos el más acepto al pueblo castellano, ni penetraría en nuestro público alma adentro, ni atravesaría las edades sin perder para el vulgo español su intensidad y acción comunicativa. ¿Y qué mucho que así sea, si don Juan es aún en España uno de los personajes más verdaderos y más vivos, si a cada instante toma carne de realidad entre nosotros, si aquí, donde es notoria la pasión por cuanto sea valor, arrojo y gallardía, así en el acometer y desafiar el peligro como en someter a la hembra, persiste ilesa y pura la castiza condición del tipo?

Por dicha o por desgracia, es lo cierto que los rasgos esenciales de don Juan perseveran intactos bajo los disfraces más diversos, difiriendo sólo en las formas más o menos groseras que reviste [...]. En España, los _Tenorios_, sea a lo zafio, sea a lo fino, pululan doquiera.

Víctor Said Armesto: _La leyenda de don Juan (orígenes poéticos de El burlador de Sevilla y convidado de piedra)_, Madrid, Librería de los sucesores de Hernando, 1908, pp. 269-278.

12. *Américo Castro señala en su edición de* El burlador *en especial la ideología teológica que, en su opinión, movió a Tirso de Molina a redactar su obra. Este juicio ha sido matizado por estudiosos posteriores, pero es interesante tener en cuenta algunas de sus interpretaciones:*

Es innegable que para Tirso lo esencial en su obra era el aspecto teológico. Constantemente, desde el principio hasta el final, el libertino recibe admoniciones de su fiel compañero Catalinón; luego, de su padre y de la estatua de piedra. Don Juan desoye una y otra advertencia, aumenta sus audacias y acaba por recibir un castigo aparatoso en esa especie de antesala del infierno que le dispone don Gonzalo. Mirado así, *El burlador* era una excelente ilustración para graves sermones de Cuaresma, y el vulgo tenía para satisfacerse de sobra con tan ingenua maravilla: no se puede jugar con las cosas de ultratumba ni con la misericordia divina, confiando frívolamente en que después todo se arreglará. Este aspecto del problema de la salvación ofrecía menos complejidades que su opuesto, el de la desconfianza en la benévola influencia de Dios, personalizado en el Paulo de *El condenado por desconfiado*; pero entre ambos dramas quedaba convenientemente tratado en la escena el problema de la predestinación y el libre arbitrio que de tal modo preocupó a los católicos de todo el mundo.

Pero hay en *El burlador* algo más que un caso de teología moral, interesante para una época y un país, pues de otra forma don Juan se habría quedado en España con otros cien compañeros de libertinaje [...]. Tirso proyectó a su héroe sobre las tablas a modo de vendaval erótico, y dispuso su trayectoria con una técnica violentamente impresionista y barroca. En raudo y brusco impulso, «el burlador de España» se opone al cielo y a los hombres, y erige sus apetencias en norma absoluta para la vida.

En esa tremenda cabalgada, don Juan va provisto de esenciales notas artísticas que nunca abandonará. Que otros las hayan utilizado con gran éxito no nos impedirá reconocer ni su originaria presencia ni su alcance eterno. [...] Don Juan es algo más que un vulgar calavera [...]. El invento de Tirso consiste en haber personalizado en un alma audaz la oposición a los principios morales y sociales, y en haberlo hecho con tanta intensidad que los reyes se estremecen al contacto del protervo galán, y la Justicia Eterna tiene que recurrir a sus más eficaces rayos. [...] Don Juan cree en Dios porque el patio no habría tolerado discusiones sobre la divinidad, ni a Tirso podían ocurrírsele. De esa suerte, la audacia y la rebeldía del héroe destacan intensamente, ya que don Juan, aun sabiendo que los reiterados avisos vienen de otro mundo, permanece ante ellos tan impávido como ante la estatua [...]. Don Juan necesitará abrasarse en la ira de Dios para tomarla en consideración. Su rasgo rebasó el área de la época, y en cualquier tiempo o circunstancia ha conservado sentido y atractivo. [...]

Ha de tomarse ante *El burlador* la necesaria distancia para percibir entre esos cuadros que vertiginosamente se suceden la unidad profunda que los liga. No hay aquí alegría como en el don Juan de Molière, porque cada pueblo tiene su especial manera de contemplar la vida; hay grave inquietud, que va apretando el halo de misterio en torno al héroe. Nos sentimos solicitados y repelidos por tan compleja figura, mezcla de bienes y males, portadora de un tremendo dinamismo, de una voluntad audaz, cuya finalidad excede a la puramente negativa de desencadenar los rayos del infierno.

España y el extranjero vieron enseguida el prodigioso encanto de nuestro don Juan; lo manejaron en diversas formas, pero hubieron de conservarle el marco español y todas las notas esenciales de que lo dotó Tirso, cuyo valor se desprende de esa misma posibilidad de eterna y universal evolución.

> Américo Castro, prólogo a su edición de Tirso de Molina: *El vergonzoso en Palacio. El burlador de Sevilla*, Madrid, Espasa-Calpe, 1980, pp. XXI-XXVII.

13. *Se ha señalado el tema del honor como uno de los aspectos que mueven el drama; en los siglos anteriores, el sentimiento del honor estaba reservado para las clases privilegiadas, pero desde finales del siglo XVI otros estamentos sociales participan del mismo sentir. La comedia barroca es testimonio de ello:*

La ampliación social del valor nobiliario que significa el honor es la manifestación quizá más palmaria de ese programa de participación en las virtudes y valores de la sociedad aristocrática que el teatro del XVII propone a algunos nuevos grupos sociales. La pregunta que, entre sorprendido e irónico, dirige a los villanos el tiránico comendador de *Fuenteovejuna* responde a la concepción tradicional del honor, como un valor reservado y monopolizado por la clase superior:

> ¿Vosotros honor tenéis?

Tal vez una de las más francas innovaciones del teatro del XVII, respondiendo a las nuevas circunstancias que tiene que aceptar para conservar la base fundamental del orden, esté en la respuesta afirmativa a tal cuestión.

También la villana de la comedia lopesca *El rey don Pedro en Madrid* sostiene que su honor es tan valioso como el de las más altas personas:

> Villanas, ese argumento
> es falso, porque el honor
> se acredita en los sujetos

Frente a esta reserva del honor a los miembros de los estamentos privilegiados, la concesión que la comedia barroca hace, advirtiendo el despertar de las tendencias individualistas y en reconocimiento del auge correlativo de la conciencia personal, es la de que el honor se extiende a más amplias capas y que, con las mismas características que en el estrato de los caballeros, se da en el de los labradores respetables, o, lo que viene a ser equivalente, propietarios de buena hacienda. En unos como en otros, el teatro se complace en sostener que el honor se presenta con las mismas exigencias, aunque los campesinos no fueran gentes que estamentalmente dispusieran de armas con las que reivindicar su honra.

> Tenemos honra en la sierra
> como en las grandes ciudades
> y en las cortes,

dice un personaje de Vélez de Guevara en *La luna de la sierra*. Tal es el cuarto y quizá más decisivo aspecto de participación en los valores nobiliarios que la comedia del XVII ofrece a su público. Un gran número de obras están dedicadas, como es sabido, a exponer conflictos entre el honor del campesino [...] y los miembros de aquella clase que hasta entonces había considerado el honor como uno de sus más preciados y exclusivos privilegios. El conflicto entre la concepción señorial del honor que hace de éste patrimonio de los nobles y la actitud de labradores y labradoras que, como en *El mejor alcalde el rey*, defienden con ahínco su honor, es el tema a que reiteradamente acude la comedia «nueva» para plantear dramáticamente el problema de la estratificación social.

> José Antonio Maravall: *Teatro y literatura en la sociedad barroca*, Madrid, Seminarios y Ediciones, S.A., 1972, pp. 87-88.

14.   *En un excelente trabajo, Francisco Ruiz Ramón plantea la cuestión de la crítica social en* El burlador, *llevada a cabo a través del drama y no de una manera*

explícita. Ruiz Ramón examina la crítica social a través de los personajes y justifi-
ca cómo en el castigo a don Juan no puede verse sólo un sentido teológico; veamos
algunos fragmentos:

Esa sociedad [la de *El burlador*] está aquejada, en mayor o menor grado,
por la corrupción, en todos sus niveles, y no sólo en una clase social, la
noble.

La actitud básica del dramaturgo, frente a esa sociedad, es una actitud crítica. Pero la crítica de la sociedad está expresada en *forma dramática*. Es decir, no está explícita solamente en la palabra de los personajes, sino implícita en la misma estructura dramática. Y es ahí —y no en
las palabras de los personajes— donde hay que buscarla, pues Tirso escribe su obra como dramaturgo, no como moralista. [...] Pasemos, pues,
revista a las llamadas «víctimas» de don Juan —las mujeres— y a los representantes del mundo —noble o plebeyo— en que se mueve el burlador. [...]

La duquesa Isabela [...] Su vivencia del honor, al igual que la del resto de
los personajes del drama, incluido don Juan, tiene más que ver con la dimensión exterior y social del honor que con la interior, individual y ética.
[...] Lo único que concierne a la duquesa Isabela es la opinión perdida,
no el agravio en sí. [...]

La diferencia de categoría moral entre la duquesa y don Juan es una diferencia de grado, no de sustancia. Ambos, cada uno en su esfera, utilizan
a los demás como instrumentos para sus propios fines, reduciendo así a
las personas a su puro valor instrumental.

Tisbea [...] En el caso de Tisbea hay una intensa complacencia en sí
misma y una buena dosis de crueldad [...]. Tisbea ya sabe, antes de que
don Juan diga una sola palabra, que [...] es hijo de tan prominente persona como lo es «el camarero mayor del rey». Tirso se ha cuidado bien de
hacer preceder tal circunstancia a la acción que le sigue: la de la entrega
de Tisbea a don Juan [...]

Aminta [...] La escena es rápida. Don Juan utiliza la misma táctica que
con Tisbea. Sólo que esta vez es él mismo, y no su criado, quien proclama
su importante condición social [...]. Después de estas palabras y de la de-
claración amorosa que sigue, a Aminta no parece costarle mucho es-fuer-
zo aceptar que su Batricio la olvida, ni conceder que el matrimonio, no
consumado, puede anularse [...]. Repárese en el efecto cómico del doña
antepuesto a nombre tan bucólico como el de Aminta. El dramaturgo fus-
tiga así la vanidad de la pastora y su padre. [...]

Don Pedro Tenorio [...] se dispone a prender al atrevido que ha atentado,
en los mismos aposentos reales, contra la honra de una mujer. (Entre

paréntesis, la cólera del rey no nace de la deshonra de la duquesa, sino del hecho de que haya sucedido en sus propios cuarteles.) [...]

Magnífico retrato de un noble caballero español, de peor catadura moral que su sobrino, y al que nadie castigará. [...]

Sin la grandeza ni el arrojo de Don Juan, pues que actúa de tapado y con damas de poca monta, el *marqués de la Mota*, tal como el dramaturgo lo ha creado, no es más que un vulgar putañero. [...]

El rey de Castilla. [...] Este rey creado por Tirso, con sistemática acumulación de rasgos grotescos, que degradan teatralmente su papel y su función dentro del mundo dramático en que el dramaturgo le hace existir, es, por lo que al tema concreto que aquí tratamos —la crítica social— se refiere, signo y prueba de esa unidad de base en que está estribado el mundo al que don Juan se enfrenta. [...]

¿Dada la construcción del drama puede entenderse *sólo* en sentido teológico el castigo de don Juan? ¿Puede entenderse la triple boda final como la reinstauración del orden roto por don Juan? Porque cada personaje es como es en el drama, ¿a quién podía encomendar el dramaturgo —que había creado a sus personajes así, y no de otra manera— el castigo de don Juan? ¿Quién, dentro de ese mundo dramático, ha sido creado —no por necesidad, sino por expresa elección del dramaturgo— digno de hacer justicia? En cuanto a las bodas, reinstauran, en efecto, el orden, pero ¿qué orden? ¿No nos muestra justamente el drama en su propia particular estructura el valor negativo de ese orden? Ese orden final, dentro del cual sólo quien se sitúa al margen es castigado, pero no por ninguno de sus representantes, ¿no es, acaso, el orden de una sociedad corrompida en todos sus niveles, desde el rey hasta el pastor?

Cuando el rey cierra el drama diciendo:

> Y agora es bien que se casen
> todos, pues la causa es muerta...

nada queda cerrado, pues don Juan no es la causa, sino el efecto.

Francisco Ruiz Ramón: «Don Juan y la sociedad del burlador de Sevilla: La crítica social», en *Estudios de teatro español clásico y contemporáneo*, Madrid, Cátedra-Fundación Juan March, 1978, pp. 79-94.

15.   *Las mujeres de* El burlador *se han considerado tradicionalmente como víctimas de don Juan. Pero ¿hasta qué punto lo son? También ellas están burlando*

condicionamientos sociales importantes en la época y tal vez don Juan se erige como
«castigo de las mujeres» en el sentido literal:

Don Juan fue un destructor y embustero que merece un ejemplar castigo. Pero ¿cómo eran sus víctimas? Mujeres que permiten las deshonre su pretendiente, creyendo así asegurar su matrimonio, y que ni siquiera encienden una luz para gozar de su rostro. Apenas dudan por su voz. O aldeanas ingenuas y ardientes, que cambian de novio por interés, o se encandilan ante el náufrago-señorito. ¿Cómo podían pensar en serio Aminta o Tisbea, dada la discriminación usual de clases sociales de la época, en la boda con un caballero de la corte? Iban de pícara y pícaro, aun cuando él lo era más. La única digna, doña Ana de Ulloa, no permite se consume su seducción. Ante los gritos, acude su padre, y en el desafío muere el viejo. Al morir, éste llama, al Tenorio, «cobarde». Realmente el duelo, en la diferencia de edades, resultaba bien desigual. Y es precisamente el Comendador, el padre de la única no deshonrada, el que asume la venganza por todas las víctimas. No puede ser más significativo. [...]

Don Juan encarna una rebeldía frente a su sociedad, contra la vida patriarcal española, en que la mujer es, más que guardada, escondida. G. Delpy interpreta el desenlace como el castigo por engañar a los padres y prometidos de las mujeres deshonradas, más que por la seducción de ellas mismas. Las mujeres vienen a ser una «propiedad» de sus padres o inmediatos maridos. El máximo delito está al haber querido burlar al Comendador, penetrando en la casa con nombre supuesto e intentando engañar a su hija, y haberle dado muerte.

Ángel Valbuena Prat: *El teatro español en su Siglo de*
Oro, Barcelona, Planeta, 1969, pp. 208-212.

16.   *El texto de* Tan largo me lo fiáis *introduce una escena entre los versos 2598-*
2599 en la que tiene lugar una conversación entre el marqués de la Mota y don
Diego Tenorio, el padre de don Juan. En ella el marqués defiende su inocencia y
cómo él mismo fue objeto de burla y traición por parte de don Juan.

(*Vanse, y salen el* MARQUÉS *y* TENORIO *el Viejo.*)

TENORIO.	Muy bien le podéis quitar las prisiones al Marqués.	
MOTA.	Si para mi muerte es, albricias os quiero dar.	2645

TENORIO.	El Rey os manda soltar de la prisión.
MOTA.	¿Si ha sabido mi inocencia, y el que ha sido de esta maldad agresor...? Que callo, por vuestro honor, aunque estoy tan ofendido...
TENORIO.	¿Por mi honor? Si a vuestro tío matáis, ¿soy culpado yo?
MOTA.	Porque don Juan le mató y a mí la culpa me echáis. A Don Juan mi capa di, (¡ah, engañoso caballero!), sin culpa padezco y muero.
TENORIO.	¿Qué decís?
MOTA.	Que esto es ansí. Un recado recibí para que a mi prima goce, de quien su error se conoce, pues, engañoso y cruel, fue a las once para él, y para mí fue a las doce. Y aunque siento que matase a mi tío, más sentido estoy, y más ofendido, de que a mi prima gozase.

                                                      2650

                                                      2655

                                                      2660

                                                      2665

                                                      2670

Atribuida a Tirso de Molina: *El burlador de Sevilla*, ed.
de Alfredo Rodríguez López Vázquez, Madrid, Cátedra
Letras Hispánicas, 1994, pp. 254-256.

17. *En 1988 la escritora Carmen Martín Gaite realizó una versión de* El burlador... *que se estrenó en el mes de septiembre dentro del Festival de Teatro Clásico de
Almagro. La escritora se lamenta de que doña Ana no aparezca en escena en el
drama original de Tirso, y la incluye en su adaptación. Así justifica su decisión:*

[...]el amplio espacio que ocupan los endecasílabos [se refiere a la larga
tirada en la que don Gonzalo pondera las excelencias de Lisboa] lo nece-
sitaba yo para que apareciera en carne y hueso doña Ana, hablando primero con su doncella y luchando más tarde contra el acoso de don Juan,

interrumpido por la entrada de don Gonzalo. [...] La hija del convidado de piedra, que es la que va a desencadenar todo el conflicto, no puede ser una voz, tenemos que verla en persona. Que me perdonen Tirso y los tirsistas por ese arreglo.

Carmen Martín Gaite, que amablemente me facilitó su ejemplar de la adaptación, imaginó la escena del acoso a doña Ana de la siguiente manera:

ESCENA OCTAVA

(*Gabinete de* DOÑA ANA. *Es de noche.* DOÑA ANA y DON JUAN. *Luego* DON GONZALO. *Se oirá fuera, atenuada, la música de una serenata.* DON JUAN, *envuelto en su capa de color, pugna por abrazar a* DOÑA ANA, *pero ella se resiste.*)

DOÑA ANA.	¡No eres el marqués! ¡Me mientes!
DON JUAN.	¡Oh criatura divina,
	entrégate a lo que sientes!
DOÑA ANA.	¿Quién eres, fiera asesina?
DON JUAN.	Esclavo de tu belleza
	y de tu amor me proclamo.
	¡Cede a mi ardor y terneza!
DOÑA ANA.	¡Basta! ¡Yo a ti no te amo!
DON JUAN.	Conozco bien la flaqueza
	de la mujer, y su gusto.
	¡Goza de mí! ¡Calla! ¡Empieza!
DOÑA ANA.	Ni me vences ni me asusto
	de tu gran bellaquería. (*Gritando.*)
	¡Padre!
DON JUAN.	¡Te amo!
DOÑA ANA.	¡Leonor!
	¡Tu persona de la mía
	aparta, abyecto, traidor!

(*Entra* DON GONZALO.)

DON GONZALO.	¿Qué sucede? ¡Un hombre aquí!
	¡Exijo una explicación!
DON JUAN.	Ella se ha entregado a mí.
	Me llamó a su habitación.
DOÑA ANA.	¡Miente!
DON JUAN.	Gocé a doña Ana.

DON GONZALO.	De la torre de mi honor la sólida barbacana echaste en tierra, traidor.
DOÑA ANA.	Padre, yo ningún favor le concedí, ni de nada conozco a este burlador.
DON JUAN.	Pero gozó y fue gozada. ¡Dejadme pasar!

DON GONZALO.	(*Desenvainando.*) ¿Pasar? ¡Por la punta de este acero!
DON JUAN.	¡Mirad que os he de matar!
DON GONZALO.	Lo veremos, caballero. (*Luchan.*)
DOÑA ANA.	Dejad tan cruel desafío, padre, que el hombre es experto y vos perdisteis el brío.
DON JUAN.	(*Tocando a don Gonzalo con su estocada.*) ¡Lo perdió! Dadlo por muerto.
DON GONZALO.	(*Cae.*) ¡Ay, malhadado destino!
DOÑA ANA.	(*Arrodillándose.*) ¡Padre, yo soy inocente! (*A* DON JUAN.) ¡Bellaco! ¡Vil asesino! ¡Que el cielo contra ti aumente su furor!
DON GONZALO.	(*Agonizante.*) No hay bien que aguarde a mostrar su resplandor, y persigue al que es cobarde aunque huya como un traidor. (*Muere.*)
DOÑA ANA.	¡Ay mi señor, padre mío! ¡Muerto es! ¡Pagarás la pena!
DON JUAN.	(*Dándose a la fuga.*) ¡A los cielos desafío y no temo su condena!

(DOÑA ANA *va tras él y trata de detenerlo, asiéndolo por la capa.*
DICHOS *y* LEONORCILLA.)

DOÑA ANA.	¡No huyas, fiera dañina!
DON JUAN.	¡Suelta! Por tu padre reza.

(*La besa, ella se desprende y él sale corriendo.*)

DOÑA ANA.   (*Gritando.*)
                ¡Que la maldición divina
                caiga sobre tu cabeza!

(*Se acerca al cadáver, como sonámbula, mira a* LEONORCILLA, *se arrodilla.*)

                ¡A mi padre me han matado!
LEONORCILLA.   El señor muerto ¡qué horror!

(*Sale corriendo tras* DON JUAN.)

                ¡Gente, seguid al fugado
                con su capa de color!

Tirso de Molina, *El burlador de Sevilla (y Convidado de Piedra).* Adaptación de Carmen Martín Gaite, Madrid, Teatro Municipal General San Martín-Compañía Nacional de Teatro Clásico, 1988, pp. 93-96.

Orientaciones para el estudio
de *El burlador de Sevilla
y convidado de piedra*

1. Argumento

En síntesis, el argumento de la obra es el que sigue: en Nápoles don Juan se burla de la duquesa Isabela y de su amante, el duque Octavio, por quien se hace pasar, y huye a España. Su barco naufraga en Tarragona y le recoge la pescadora Tisbea, a quien engaña y burla también. Llega a Sevilla, e intenta burlar a doña Ana, haciéndose pasar por el marqués de la Mota, que le acaba de confesar su amor por su prima doña Ana, pero es descubierto por don Gonzalo, padre de doña Ana y comendador de la Orden de Calatrava. El suceso se salda con la muerte de don Gonzalo. Don Juan es desterrado a Lebrija por los sucesos de Nápoles, y en el camino se encuentra con las bodas de Aminta y Batricio. De nuevo, urde una mentira para burlar a la campesina Aminta y huye, ahora a Sevilla. Con Catalinón, su criado, entra en la iglesia donde se encuentra el sepulcro de don Gonzalo, a quien burlonamente invita a cenar esa noche a su casa. La estatua del Comendador se presenta en su casa y le pide que vaya la noche siguiente a la iglesia a cenar con él. Envalentonado, acude a la cita macabra acompañado de su criado. La estatua del Comendador arrastra a su tumba y muere. Sólo queda el criado para relatar lo ocurrido al resto de los personajes, que han ido llegando al palacio a pedir justicia al rey.

Obviamente, este resumen no recoge los pormenores del drama, que serán analizados a continuación.

2. Estructura dramática

La obra responde estructuralmente a una concepción dinámica de la acción, característica común a otras obras dramáticas de nuestro Siglo de Oro. El tema que mueve la acción se estructura en dos tiempos que coinciden con el título de la obra:

a) Las acciones de don Juan: sus engaños y burlas.
b) Los episodios referentes a la doble invitación y el castigo de don Juan.

Esta concepción binaria se desarrolla a lo largo del drama, y la primera desemboca en la segunda. La acción principal —las burlas de don Juan y su castigo final— se encuentra rodeada de acciones secundarias que la completan para corresponderse con la forma dramática que el *Arte nuevo* de Lope había fijado. La acción se exige por el tema. En la Jornada I don Juan burla a dos mujeres, una noble, la duquesa Isabela, y una villana, la pescadora Tisbea. Otra víctima más es el duque Octavio, que huye a España, adonde se dirige también don Juan, datos sólo conocidos por el espectador. Antes de pasar a la segunda burla, se introduce un largo monólogo en boca de la pescadora Tisbea:

> — ¿Qué finalidad cumple?
> — ¿Qué elementos argumentales introduce?

La seducción de Tisbea queda interrumpida por otro pasaje muy largo en el que don Gonzalo, comendador de Calatrava y embajador del rey, relata al rey Alfonso XI de Castilla las maravillas de la ciudad de Lisboa. La relación de don Gonzalo conmueve al rey de tal forma que quiere premiar su lealtad casando a su hija doña Ana con quien él cree digno de ello: don Juan. Tras la

seducción de Tisbea, el burlador huye, y la pescadora grita deses-
perada.

> — La decisión del rey será el origen del drama. ¿Por qué?
> — Analícense los elementos del *planteamiento* del drama.
> — ¿Qué función cumple —semejante al monólogo de Tisbea— la larga descripción de Lisboa?
> — ¿Se ha cumplido la intención de suspense en el espectador? ¿Cómo?

Al comienzo de la Jornada II el rey de Castilla y don Diego dialo-
gan sobre lo sucedido en Nápoles; saben la verdad y deciden el matrimonio entre don Juan e Isabela. El duque Octavio llega para
pedir justicia al rey; éste le ofrece a doña Ana como restitución a la
burla de don Juan. A continuación se produce el encuentro entre el
marqués de la Mota y su amigo de correrías, don Juan. En esta escena se presenta la descripción de una Sevilla corrompida, en la que
una y otra vez don Juan ha encontrado amparo a sus correrías. La
crítica ha visto una contraposición entre la Lisboa descrita en la
Jornada I y la visión de Sevilla que presentan don Juan y el marqués.

> — ¿Existe alguna conexión entre una y otra descripción?

La conversación entre don Juan y el marqués toma una dirección distinta cuando Mota le refiere su amor por su prima. En el
momento en que el marqués vuelve a palacio, una mujer hace entrega a don Juan de una carta en la que doña Ana cita a su primo
como represalia a la decisión de su padre.

> — ¿Está forzando Tirso la acción en este momento?
> — ¿Qué aporta argumentalmente la carta?

Desde el momento en que don Juan tiene en sus manos la
carta, concibe la doble burla que tiene como base la traición a su
amigo. Posee todos los datos: lugar, hora y modo. Es el mismo
marqués de la Mota quien, sin saberlo, le facilita la burla. Don
Juan se hará pasar por él.

> — ¿Puede imaginarse un principio similar a la burla de Isabela y al duque Octavio?
> — ¿Con qué palabras lo señala don Juan?

Todo parece salir de acuerdo con los planes de don Juan; pero doña Ana descubre al impostor y, al apelar a su honor perdido, aparece don Gonzalo. El burlador y él luchan y se produce la muerte del Comendador. Antes de morir, don Gonzalo lanza su terrible amenaza.

> — Localícense estas palabras en el texto y analícese su valor argumental.

Nuevamente se produce la huida de don Juan y la inculpación de un inocente: el marqués de la Mota es condenado a muerte sin saber la causa.

Don Diego increpa a su hijo por su actitud y, por orden del rey, don Juan sale desterrado a Lebrija. En Dos Hermanas se encuentra con la celebración de una boda entre los campesinos Batricio y Aminta. Don Juan se prenda de la novia, ante la desconfianza del novio por la presencia en sus bodas de tales caballeros.

> — Analícense los elementos del *nudo* que conforman esta segunda jornada.
> — ¿Cómo se ha articulado la intriga durante toda la jornada?

La Jornada III se inicia con el episodio inconcluso en la jornada anterior. Don Juan ha urdido un plan por el que, a través de mentiras y falsas promesas, alejará a Batricio de Aminta. Antes de rendirse a sus brazos, la campesina obliga a don Juan a hacer un doble juramento.

> — ¿Cuáles son los dos juramentos? ¿En cuál insiste Aminta? ¿Por qué? ¿Con qué palabras?
> — ¿Por qué se introducen en la última burla de don Juan?
> — Analícese la función dramática del episodio de Aminta.

A partir de este momento, se introduce el otro gran tema de la obra y el desenlace. La acción de *El burlador* ha finalizado con

la burla a Aminta, que conecta las dos acciones principales.
Isabela y Tisbea se encuentran y comparten sus desdichas. Ambas
se unen para ir a pedir justicia al rey. Las escenas se suceden rápidamente. Don Juan y Catalinón se refugian en una iglesia, donde
se encuentran con el sepulcro del Comendador, al que acompaña un mote en el que don Gonzalo clama venganza. Don Juan se
encarama a la estatua y se burla del mote; invita a cenar al muerto y don Gonzalo se presenta en la posada de don Juan, a quien
solicita que le devuelva la visita al día siguiente.

> — Paralelamente al próximo fin de don Juan, del que es consciente el
> espectador, se desarrollan otras escenas secundarias que comple-
> mentan la principal. ¿Cuáles?

Don Juan devuelve la visita al muerto la noche misma en la que
se iba a celebrar su boda con Isabela. En el mismo tiempo, las víctimas de don Juan piden al rey que imparta su justicia. La estatua
de don Gonzalo da muerte al burlador y el criado conecta una y
otra acción: se dirige al palacio para contar a todos lo ocurrido.
El restablecimiento del orden final no parece muy claro. Los ma-
trimonios parecen arreglarlo todo, pero se dan situaciones un
tanto ambiguas.

> — ¿Con quién se casa cada uno de los protagonistas?
> — ¿Con qué palabras se hacen explícitos los matrimonios en el texto?
> — ¿Es necesaria la verosimilitud de la escena final o sólo importa el
> restablecimiento del orden alterado?
> — ¿Cómo se produce el *desenlace* de las acciones ocurridas a lo largo
> de la obra?

Arellano insiste en que no existe ninguna improvisación ni azar
en la organización dramática. Todas las escenas desempeñan una
función precisa a través de un estudiado sistema de simetría, pre-
moniciones y correspondencias.

> — Señálense algunas de estas características en el texto.
> — Establézcase de qué forma se van trenzando a lo largo de la obra
> las acciones para desarrollar el tema.

3. Temas

La pluralidad temática es una de las características de nuestro teatro aurisecular; pero es el honor uno de los señalados por Lope en su *Arte nuevo*. Para Arellano, el honor, más que un tema, es un motivo de conflicto, pues se identifica con la misma vida en la comedia seria y exige toma de actitudes en los personajes.

La justicia, el honor y la venganza, el castigo, la burla y la traición rodean uno de los temas principales de *El burlador*: tras el desorden humano se encuentra el orden divino. A toda burla le sigue un castigo, que puede llegar en cualquier momento. La canción final de los músicos en el transcurso de la muerte de don Juan lo resume:

> *Adviertan los que de Dios*
> *juzgan los castigos grandes*
> *que no hay plazo que no llegue,*   2745
> *ni deuda que no se pague.* [...]
>
> *Mientras en el mundo viva,*
> *no es justo que diga nadie:*
> *«¡qué largo me lo fiáis!»*
> *siendo tan breve el cobrarse* (vv. 2751-2754)

— Analícense las canciones que acompañan las últimas escenas y valórese su función temática sintetizadora.

El concepto del honor aparece reiterativamente en la obra bajo diversos puntos de vista. Isabela pierde su honor y también el duque Octavio. El rey de Nápoles se queja de que el honor de los hombres esté en manos de las mujeres.

— ¿Por qué lamenta el rey este hecho?
— ¿Qué característica lleva implícita, según el rey, la condición de mujer?

En la misma línea, don Pedro narra al duque Octavio lo ocurrido en palacio. No quiere creer lo que le están contando, pero le basta recordar que Isabela es una mujer para admitir la acusación de don Pedro. Además, le incomoda tener que exiliarse por el honor perdido. Del mismo modo Batricio cree enseguida la mentira de don Juan en cuanto recuerda la condición femenina de Aminta.

> — Localícense estas palabras en el texto. ¿Puede considerarse una actitud machista?
> — ¿Qué concepto del honor tienen las mujeres de la obra? ¿Y los hombres?

La conservación del honor justifica, para don Diego, el encubrimiento de las acciones y la defensa de su hijo ante el mismo rey, quien comprende su actitud. Don Gonzalo no teme la muerte casi segura a manos del burlador porque su honor, en manos de su hija, se ha perdido. Por otro lado, don Juan se aprovecha de la alta estima que del concepto del honor tienen los villanos para que Batricio le deje el campo libre con Aminta. El honor, parece creer don Juan, sólo es ya cosa de los villanos.

> — Localícense estas palabras.
> — ¿Se burla don Juan del concepto del honor?
> — ¿Por qué Tirso introduce estas palabras en un personaje como don Juan?
> — ¿A qué se debía el orgullo de los villanos en temas de honor?
> — ¿Con qué palabras denuncia Aminta esta situación?

En lo referente a las mujeres, don Juan valora el honor para poder burlarlo; de hecho afirma: «el mayor / gusto que en mí puede haber / es burlar una mujer, / y dejalla sin honor» (vv. 1310-1313). Sin embargo, estima su propia fama y honor, cuestionados por el Comendador: «Honor / tengo, y las palabras cumplo, / porque caballero soy» (vv. 2452-2455).

> — ¿Por qué tiene tanto empeño en cumplirle la palabra al muerto?
> — ¿Por qué don Juan no piensa en su honor cuando no cumple la palabra dada a las mujeres?

Tanto Octavio como Batricio se casan con mujeres cuya deshonra es pública. En el desarrollo de la obra, la falta del honor les importaba hasta el punto de abandonarlas.

— Al final, el tema del honor de sus esposas parece que no les afecta. ¿Por qué?

A la pérdida del honor le antecede siempre una burla. Tras la burla aparecen los deseos de venganza, la justicia y el castigo. Estos temas se relacionan entre sí y en ocasiones parecen ser sólo uno, que se resume en las últimas palabras del Comendador en la muerte de don Juan.

—Localícense estas palabras.

La obra está plagada de alusiones premonitorias sobre la imposibilidad de que las burlas queden impunes. No sólo parece ser don Juan el burlador burlado. También lo son cada uno de los personajes que transgreden las normas sociales. Isabela falta el respeto al rey al permitir la entrada en palacio de su amante; Tisbea se burla del amor y del que Anfriso siente hacia ella. Doña Ana se rebela contra el matrimonio que su padre y el rey han decidido, y Aminta no cumple las leyes del matrimonio recién celebrado.

— Según esto, ¿puede entenderse que don Juan sea realmente «castigo de las mujeres», como le define Catalinón?
— ¿Qué otros personajes pueden considerarse burladores burlados?

Los deseos de venganza entre las víctimas de don Juan se satisfacen en la Jornada III. Los dos nobles implicados en la primera burla —el duque Octavio y la duquesa Isabela— ven en las dos villanas burladas la ocasión de vengarse de don Juan.

— ¿En qué momento Isabela se da cuenta de la ocasión que a su favor le brinda Tisbea?
— ¿Con qué palabras pretende Octavio utilizar a Aminta?

— ¿De qué manera trenzan sus respectivas venganzas las víctimas de
don Juan?

La gran venganza, la gran justicia a las acciones de don Juan no
puede proceder, dada su magnitud, de los hombres. Cada una de
las aventuras de don Juan ha añadido un agravante nuevo que
aleja, primero de su tío y luego de su padre, la capacidad de cas-
tigar a don Juan. La justicia procede del mismo Dios y responde
a la petición inconsciente del mismo don Juan.

— Señálense esas palabras en el texto.

Otro tema básico de la obra es la crítica social. El rey y los privados son objeto de una dura crítica. Don Juan debe su impunidad a ser hijo del privado del rey, sobrino del embajador de
España en Nápoles, gentilhombre de la cámara del rey y hechura
del mismo. En el texto, la alusiones son muy explícitas. Catalinón
advierte:

> *De los que privan*
> *suele Dios tomar venganza,*
> *si delitos no castigan.*

— Localícense en el texto los momentos en los que don Juan hace uso
de su privilegiada posición social. ¿De qué manera se beneficia don
Juan del hecho de que su padre sea privado del rey?
— ¿Puede ello ponerse en relación con la situación política en la Es-
paña del siglo XVII?
— ¿Puede relacionarse esta actitud con los problemas que Tirso
tuvo con el régimen del conde-duque de Olivares? Consúltese la
Introducción.
— ¿Podría prescindirse de este tipo de cuestiones en la obra?

4. El tiempo y el espacio

Frente a las rígidas normas clásicas que imponían el tiempo y
el espacio como parte integrante de la unidad dramática, los

ramaturgos españoles del Siglo de Oro adoptan una postura de libertad creadora, supeditando siempre el tiempo y el espacio a la acción. Cada acción, según las nuevas normas, precisa su propio tiempo y espacio. No existe unidad de tiempo y espacio para toda la acción, sino que cada una de las escenas dentro de cada acto posee su propia unidad espacio-temporal.

— Señálense las escenas de cada uno de los actos y sitúese el tiempo y las ciudades en las que transcurren.
— ¿Qué aportan a la totalidad de la obra?
— ¿En qué momentos del desarrollo de las escenas se señala el paso del tiempo y el cambio de espacio? ¿Cómo se marca? ¿Son forzadas las intervenciones para señalarlo o se podría prescindir de ellas?

La sencillez del teatro barroco con respecto a los decorados exige que éstos se suplan a través de las palabras de los personajes; es el *decorado verbal,* que debía ser interpretado para la puesta en escena por el *autor* de la compañía. Las acotaciones implícitas y explícitas señalan los movimientos de los actores y el decorado que acompaña a las escenas.

— ¿Cómo se señalan en el texto las escenas que ocurren en la oscuridad?
— ¿Qué escenas, imposibles de representar, son descritas por los personajes?
— Localícense acotaciones implícitas referentes a la actitud de los personajes en escena.

Con respecto al espacio histórico, los escritores dramáticos prefieren la coherencia interna de la obra a la expresión de una realidad histórica. Ni siquiera el rey de España y el de Nápoles son contemporáneos. Los personajes pertenecen a una época pasada, pero los valores que en el drama se expresan son los del siglo XVII.

— Señálese en qué época transcurre la acción del drama y mediante qué palabras se hace explícito en el texto.
— Señálense los anacronismos detectables en la obra.

5. Personajes masculinos

Don Juan

Tres palabras parecen definir a don Juan en cada una de sus hazañas: engaño, posesión y huida. La actividad erótica de don Juan, pese a ser una de sus características más evidentes, no parece ser lo que realmente le hace disfrutar. Ruiz Ramón advierte que don Juan no busca las relaciones amorosas, sino que las encuentra. Lo que realmente le fascina es su capacidad de burlarse de los demás, y hace de esa característica una meta en su vida. Don Juan es, ante todo, un burlador «profesional», y sus víctimas son tanto masculinas como femeninas. Todo ello va unido a un deseo de alcanzar para sí fama y valor mal entendidos.

> — Señálense en el texto los momentos en los que don Juan identifica la burla con el medro de su fama.

Las mujeres burladas por don Juan en la obra son cuatro en total; dos son nobles y dos plebeyas. La burla planeada para Isabela y doña Ana se lleva a cabo a través de la traición a dos amigos por los que se hace pasar. Isabela y doña Ana no se encuentran con don Juan, sino con un falso duque Octavio y un falso marqués de la Mota; ambas creen estar con otros hombres. Sin embargo, es don Juan en persona quien seduce a Tisbea y a Aminta, de inferior clase social.

> — ¿Cómo puede interpretarse este hecho?
> — ¿Qué pasos sigue don Juan en la seducción de Isabela y de doña Ana? ¿Y con Tisbea y Aminta?

Los personajes del teatro áureo se definen por sí mismos y por su relación con otros personajes. Los monólogos y los apartes presentan al espectador lo más personal de esos personajes. Cuando se encuentran en escena con otros, manifiestan las relaciones que mantienen entre sí.

— Localícense los momentos en los que don Juan mismo muestra los rasgos que le definen.
— ¿Qué aporta el diálogo sobre las prostitutas sevillanas para la caracterización de don Juan y el marqués?
— Localícense escenas semejantes y analícese qué aportan para el mejor conocimiento de los personajes.

Otros personajes definen a don Juan. Catalinón apunta siempre la condición de burlador, aunque le reconoce su «condición hidalga». También se le compara con una víbora en dos ocasiones. Las damas objeto de burla no niegan su condición de galán y de caballero, al menos en principio.

— Localícense las definiciones de Catalinón. ¿Cuáles son, en boca del criado, las virtudes de don Juan?
— ¿Qué prendas de don Juan enamoran a las damas? Analícese si esas prendas forman parte realmente de las características del galán expresadas por Lope en el *Arte nuevo*.
— ¿En qué momentos se señalan los cargos públicos de don Juan? ¿En qué medida condicionan sus actos?

Don Juan burla normas sociales y divinas: miente, engaña, roba, mata, desobedece al rey. Con frecuencia la crítica ha visto en esta actitud la del héroe transgresor de normas morales y religiosas. La valentía de don Juan sobre lo humano y lo divino queda bastante desprestigiada si se analizan sus causas.

La crítica señala la temeridad y la irresponsabilidad social y moral al juzgar el supuesto valor de don Juan. Realmente no parece que don Juan se oponga a normas teológicas abiertamente. Don Juan no teme a Dios ni su condenación porque los confunde con la cobardía. Arellano justifica esta postura al afirmar la indiferencia que por Dios siente don Juan, lo cual se relaciona con su incapacidad de juzgar el pasado y el futuro, incapacidad que se condensa en su «¡qué largo me lo fiáis!». Don Juan sólo es capaz de ver y vivir el momento presente; es un burlador porque su posición social así se lo permite. Desde Nápoles hasta Sevilla, los más altos exponentes de la justicia humana no sólo le han ocultado y protegido, sino que incluso han premiado su posición social sir considerar si es digno de tales merecimientos.

Don Juan procede a una burla en una mujer y la intervención de otros personajes provoca más víctimas: el duque Octavio y el marqués de la Mota.

> — Valórese la actitud de rebeldía de don Juan.
> — Obsérvese qué personajes y en qué medida ocultan las hazañas de don Juan.

Don Juan sólo reconoce su miedo y su temor a la condena eterna en sus últimos momentos. Ni siquiera en ese instante es capaz de entender la magnitud de sus hechos, sus juramentos en falso a las mujeres y su ruego a Dios en la burla a Aminta.

> — ¿Qué causas cree don Juan que llevan a don Gonzalo a darle muerte? ¿Cómo se defiende?
> — ¿Se arrepiente don Juan? ¿Qué significa que pida confesión en su último instante de vida?

Don Gonzalo de Ulloa

El Comendador es la otra gran figura del drama, como lo refleja el segundo título, *El convidado de piedra*. Don Gonzalo representa todos los valores que don Juan desprecia. Mientras está vivo poco sabemos de él. Sólo se identifica a través de su descripción de Lisboa.

> — Defínanse los rasgos de la personalidad de don Gonzalo que se traslucen de su monólogo. ¿En qué manera se opone a don Juan?

La existencia de este personaje se justifica por su función conectora entre el mundo humano y el sobrenatural. Es el brazo ejecutor de la justicia divina. La crítica ha señalado la ambigüedad de su figura con respecto a su condición de mensajero divino y su hundimiento en el infierno. Don Gonzalo ha muerto sin confesión, pero lo que conocemos sobre él nos permite suponer que no está en el infierno, opinión que se confirma en sus palabras a don Juan: «No alumbres, que en gracia estoy» (v. 2474). El Comendador brinda al burlador una oportunidad de temer a Dios en la primera cena, pero don Juan es incapaz de pensar en el poder del más allá. Al apelar el Comendador a la valentía de don Juan, el poco miedo que éste siente se convierte en temeridad. El miedo es, dice don Juan, propio de villanos.

— Compárese la cena a la que acude don Gonzalo en la posada de don Juan con la cena macabra que le ofrece el Comendador. ¿Qué elementos tienen en común? ¿Qué función desempeña la música en cada una de ellas?

— ¿Cuál es el valor simbólico del «menú» que ofrece don Gonzalo?

Catalinón

Catalinón se corresponde con el arquetipo de gracioso del teatro del Siglo de Oro. Es la voz premonitoria que advierte a don Juan una y otra vez del castigo, pero siempre secunda sus acciones. Provoca además la risa del público y tiñe de humor las escenas más dramáticas. Es también su amigo, su consejero moral, su confidente y el que más le conoce: sabe perfectamente cuándo su señor está pensando una nueva burla. Cuando le advierte de las consecuencias de su proceder, don Juan le pide que se limite a su función de criado.

— ¿En qué momentos aparece cada una de sus funciones? ¿Qué sentido tienen?

El duque Octavio y el marqués de la Mota

Ambos son víctimas de las burlas de don Juan; son amigos a quienes traiciona. El duque Octavio se confiesa enamorado de Isabela, pero acepta el matrimonio con doña Ana que le propone el rey. Es un personaje voluble y ridiculizado que acaba casándose con Isabela, cuya deshonra es pública. El marqués de la Mota es, como le define Arellano, un aprendiz de burlador engañado por su amigo don Juan, a quien, en su necedad, le da la oportunidad de burlarle.

> — Compárense la escena de la detención del duque Octavio y la del marqués de la Mota. ¿Qué elementos tienen en común?
> — ¿Se está repitiendo la misma acción? ¿Con qué intención?
> — ¿Qué burla cree estar haciendo el marqués de la Mota cuando presta su capa a don Juan? ¿Cómo procede don Juan al engaño?

Los reyes y los validos

A través de la relación de don Juan con los personajes cercanos al rey se descubre la verdadera causa de su envalentonamiento: todos, desde el rey, le protegen.

Los reyes son objeto de crítica desde el primer momento. El de Nápoles es incapaz de tomar ninguna decisión con respecto al hombre que ha encontrado con Isabela, y pide a don Pedro, tío de don Juan, que se encargue del asunto. Don Pedro protege a su sobrino y le deja escapar. Más injusta es la actitud del rey Alfonso, que intenta impartir justicia sin entenderla. Premia los servicios de don Diego ocultando las maldades de don Juan. El castigo que no puede evitar lo atenúa, y destierra a don Juan a Lebrija. Poco después le hace conde. No permite que el duque Octavio rete a duelo al traidor. El rey Alfonso aparece como un personaje grotesco y casamentero, que no se entera de lo que ocurre en su reino pese a ser el máximo responsable de la justicia.

> — Señálense las ocasiones en las que la desorientación del rey le induce a errores, por ejemplo en los casamientos que planea.

Tanto don Pedro como don Diego, amparados en la conservación del honor familiar, ocultan las fechorías de don Juan; mienten al rey y acusan a inocentes haciendo caso omiso a la justicia. Intentan un cambio en la actitud de don Juan y fracasan. Finalmente, se sienten impotentes ante los abusos de don Juan y dejan su castigo en manos de Dios.

— Señálense en el texto las reprobaciones de don Pedro y don Diego a don Juan.

— ¿En qué momento dejan el castigo de don Juan en manos de Dios?

Cuando el rey decide impartir justicia, llega tarde. Dios, a través de don Gonzalo, ya lo ha hecho.

— Valórese la actitud del rey al conocer el testimonio de las víctimas de don Juan.

Gaseno y Batricio

Especialmente patética es la burla de don Juan a Batricio. Está celebrando su boda con Aminta, de la que realmente se siente enamorado, cuando aparece don Juan y, aprovechándose de la sensibilidad del campesino en temas de honor, le miente y obliga a desaparecer bajo la amenaza de matarle si no lo consiente. El esposo de Aminta es el exponente de la injusticia que puede llegar a cometer el poderoso. A través de ellos aparece la oposición entre corte y aldea. Ante la llegada de don Juan y Catalinón, Gaseno y Batricio toman actitudes contrarias; para Gaseno, la llegada del caballero es un honor que celebra con sus palabras. Por el contrario, Batricio piensa desde el primer momento que don Juan abusará de su condición.

— ¿De qué presume Gaseno?

— ¿En qué capas de la sociedad del XVII parece mantenerse el honor?

— ¿Con qué palabras teme Batricio el abuso de don Juan? ¿Cómo recrimina sus acciones y a qué apela?

— ¿De qué estrategia se vale don Juan para que Batricio se aleje? ¿Se merece lo que le ocurre?

Gaseno es también patéticamente engañado por don Juan. El padre de Aminta se convierte en consentidor, a través de la mentira de don Juan, de la relación entre éste y su hija. Sin embargo, en el texto no aparecen explícitas las palabras de don Juan a Gaseno, sólo su intención de engañarle y el final de la conversación.

— ¿En qué términos cabe imaginar que se ha desarrollado la conversación entre don Juan y Gaseno?
— ¿Qué importancia tiene la inclusión de esta pendencia tras la muerte del Comendador?
— El tema del abuso del poder aparece en otras obras de nuestro Siglo de Oro. Compárese el tratamiento del tema en *El burlador* y en otras obras dramáticas: *Peribáñez y el Comendador de Ocaña*, *Fuenteovejuna...*

---

6. Personajes femeninos

Uno de los ingredientes del éxito de nuestro teatro del Siglo de Oro fue la inclusión de la mujer en el teatro y su libertad a la hora de escoger el amor. Cuatro mujeres aparecen de ese modo en *El burlador*.

Isabela y doña Ana

Ambas mujeres son burladas por un amante falso, aunque doña Ana no lo llegará a ser. Isabela profana el palacio del rey, y lo que desprecia realmente de lo ocurrido es la pérdida de su honor, que cree que puede enmendarse si se casa con el duque Octavio.

— ¿De qué forma se señala en el texto?
— ¿Cuáles son sus sentimientos hacia el duque Octavio?

Doña Ana sí es una mujer enamorada del marqués de la Mota y mantiene una actitud de rebeldía ante el matrimonio impuesto. Sin embargo, su imprudencia al escribir la carta que llega a manos de don Juan es un gran error. Doña Ana no aparece en persona en ningún momento de la obra. Conocemos sus virtudes a través de la descripción que de ella hacen otros personajes. Es el elemento clave que provocará la catástrofe final y la única burla, al parecer, en la que fracasó don Juan.

— Localícense en el texto las ocasiones en las que se describe a doña Ana. Téngase en cuenta la carta que escribe.
— ¿Por qué Tirso hace que el personaje de doña Ana no aparezca en escena y no sea más que una voz? Consúltese el documento n.º 17.
— Analícense las palabras de don Juan sobre la burla a doña Ana ante don Gonzalo y júzguese, a través de su intervención, si llegó a caer en el engaño.

Tisbea y Aminta

La pescadora y la campesina son las mujeres burladas por el verdadero don Juan. Tisbea se burla del amor y de los hombres en su monólogo inicial. La crítica ha señalado el gongorismo en las intervenciones de Tisbea.

— Compárese la primera intervención de Tisbea con la *Fábula de Polifemo y Galatea.*

Tisbea es una burladora burlada; vanidosa y presuntuosa, ve en la llegada de don Juan la posibilidad de medro social. Tisbea sabe cuál es la condición social de don Juan, quien a su vez desconoce que ella lo sabe. En su lamento por el engaño se adivina el final de don Juan. La imagen que de su cabaña ofrece Tisbea en la Jornada I se contrapone, al igual que sus sentimientos, con la que presenta en la Jornada III.

— Analícese el súbito enamoramiento de Tisbea.
— Señálense las similitudes que la pescadora traza entre su persona y su vivienda, e indíquese qué ha cambiado en su personalidad de la jornada I a la III, según sus propias palabras.

La burla a Aminta se produce cuando su matrimonio se ha realizado. En pocos momentos, como señala López-Vázquez, su universo se resquebraja. La campesina, enamorada de su esposo y obediente de su padre, se encuentra ante el dilema que le producen las mentiras de don Juan en su acoso. Don Juan sabe que Aminta no dejará pasar la ocasión de ascender en la escala social.

Don Juan y Catalinón se ríen de Aminta, quien, por otro lado, es la víctima que más tiempo tarda en darse cuenta de que ha sido objeto de un engaño.

— ¿Por qué la burla a Aminta les parece más cómica que las otras?
— ¿Qué dificultades aduce Aminta para que se realice su unión con don Juan?
— ¿Qué palabras y argumentos utiliza don Juan para seducirla? ¿Cómo se burla después don Juan del engaño?
— ¿En qué se diferencian Aminta y Tisbea? ¿Por qué?

---

7. Técnica y estilo. La versificación

El lenguaje y el estilo poético de *El burlador* sirven perfectamente a la construcción dramática. La variedad de temas y el dinamismo de la obra exigen un contraste de ritmos que va de la rapidez en los diálogos a la lentitud de los monólogos. La velocidad aumenta con el desarrollo de la obra.

— ¿Qué escenas marcan el tono acelerado de la obra?

El motivo «dar la mano» es especialmente interesante por su valor conector entre las acciones de la obra. Para asegurar su promesa de matrimonio, don Juan solicita la mano de cada una de las mujeres a las que engaña. Del mismo modo, dos veces le pide la mano la estatua de don Gonzalo a don Juan. Lo mismo ocurre con la coletilla de don Juan cada vez que alguien le avisa de su castigo: «¡Qué largo me lo fiáis!» Las metáforas mitológicas y las referencias al mito de Troya se esparcen por el texto.

— Señálense los momentos que preceden a una burla. ¿Qué motivos se repiten en cada una de ellas?
—– Analícese la relación entre la imagen de la guerra de Troya y el motivo del fuego y la destrucción.

Las formas métricas más utilizadas son la redondilla y los romances. Para las intervenciones de carácter narrativo y dramático ı metro usado es el romance, que conecta las escenas de seducción y castigo. La redondilla sirve al desarrollo de la historia. Del mismo modo, otras formas métricas se corresponden con la función dramática que desempeñan.

> — Señálese la estructura métrica de la obra y compruébese que se corresponde con las normas de Lope en el *Arte nuevo*.

Tisbea está idealizada y se expresa en modo gongorizante, exigido por la función lírica que desempeña. La función dramática corre a cargo de los episodios de Isabela y doña Ana, y la cómica se representa con Aminta. Batricio y Catalinón se expresan con arcaísmos y formas populares que también utiliza don Gonzalo. No parece que rija un sistema estricto. Catalinón utiliza el juego verbal para lograr ambigüedad en sus palabras y provocar la risa en el espectador. Otros recursos estilísticos utilizados por Tirso en *El burlador* son los sustantivos adjetivadores (*lavandriz mujer*, v. 234), zeugmas (*Y la que tengo de hacer*, v. 1448), refiriéndose a *jornada* (v. 1446), neologismos (*fregatrizando*, v. 235), dilogías y juegos de palabras (la *gavia* del v. 496, véase la nota correspondiente), arcaísmos y modismos.

> — Señálense algunos ejemplos más de estos rasgos estilísticos.
> — Analícense las anticipaciones que a través de juegos verbales se producen en el drama, sobre todo las que aluden al tema de los cuernos.

Como ya se ha explicado en la Introducción, durante el siglo XVII se planteó la licitud, por motivos éticos y religiosos, de la nueva comedia. Sus adversarios se apoyaban, entre otros motivos escénicos, en el baile, donde se incitaba a acciones lascivas. En otras ocasiones, la introducción de estas composiciones líricas en boca de campesinos o de pescadores ayudaba a la comprensión de la acción o anunciaban las escenas inmediatas.

> — Señálense en el texto las canciones y su función.
> — ¿Qué personajes las interpretan? ¿De qué gestos podrían ir acompañadas?

8. Otros aspectos

Las acotaciones indican el vestuario que debían llevar los actores ciñéndose a muy pocas palabras; así, el duque Octavio llega *de camino*, o Tisbea, *pescadora*.

> — ¿Qué vestuario debía acompañar a estas caracterizaciones?

Desde la burla a Aminta hasta la entrada de don Juan y Catalinón en la iglesia en la que se encuentra el sepulcro de don Gonzalo transcurren dos semanas. En ese tiempo, los engaños de don Juan son públicos, y sus víctimas claman justicia al rey. Don Juan y Catalinón se refugian en la iglesia, donde en lugar de encontrar amparo, el burlador halla su fin.

> — ¿Por qué se refugian en la iglesia? Consúltese el documento n.º 9.

Las manchas de honor sólo se podían limpiar a través de la muerte del agresor. El duque Octavio pide permiso para retar a duelo a don Juan.

> — ¿Con qué palabras justifica el rey el negarle el permiso al duque Octavio para batirse en duelo?

Carmen Martín Gaite afirma en su versión de *El burlador* que el mito de don Juan se encuentra degradado. Don Juan es un mito porque representa la profanación de lo prohibido, pero para ello se necesita una serie de creencias y de valores que estaban en uso en el XVII y que actualmente no están en vigor.

> — ¿Qué principios básicos de la sociedad del siglo XVII profana don Juan?
> — ¿Podría existir hoy en día don Juan?

En las palabras seductoras de don Juan hacia Aminta, el burlador hace referencia a la oposición que a su boda con la labradora podían mostrar el rey y el padre de don Juan.

— ¿Por qué se opondrían don Diego Tenorio y el rey a la boda entre don Juan y Aminta?

9. Valor y sentido de la obra

El burlador de Sevilla y convidado de piedra dio origen a uno de los grandes mitos de la literatura universal. La crítica ha señalado que el arquetipo de la personalidad de don Juan se encuentra en diversos personajes de la literatura universal. Uno de los más cercanos a Tirso es el Leoncio de *La fianza satisfecha*, de Lope de Vega.

— Compárese a don Juan Tenorio con Leoncio y júzguense sus semejanzas y diferencias.
— ¿Puede considerarse a Leoncio como antecedente de don Juan o responde más bien a un tipo común en la literatura española?
— Obsérvense las características del tipo de don Juan en personajes de otras obras de Tirso de Molina (*La Santa Juana, La dama del Olivar...*). Consúltese el documento n.º 5 y júzguese la salvación de don Juan.

En el siglo XIX José Zorrilla reelaboró el tema de *El burlador* en su obra *Don Juan Tenorio*. Las diferencias entre ambos Tenorios son notables. El don Juan de Zorrilla sí es ya el conquistador; don Luis Mejía cuenta setenta y dos conquistas hechas por don Juan. Por otro lado, este don Juan sí se enamora.

— Compárese el personaje de doña Ana en *El burlador* con el de doña Inés del *Don Juan Tenorio*.
— ¿Por qué se salva el don Juan de Zorrilla y no el de Tirso?

El modelo tirsiano de don Juan poco se relaciona con la imagen tradicional de su mito. Tirso traza las líneas de un burlador castigado. El *don Juan* que todos podríamos definir no es el burlador burlado, sino el conquistador.

— Defínase el carácter de don Juan sin tener en cuenta la obra y compárese con el don Juan que se presenta en el drama. ¿A qué se debe
la diferencia?

SE TERMINÓ
DE IMPRIMIR ESTA EDICIÓN
EL DÍA 28 DE AGOSTO DE 1997.

LAUS  DEO